あなたのスマホがとにかく危ない

元捜査一課が教えるSNS、デジタル犯罪から身を守る方法

元埼玉県警捜査一課
佐々木成三

祥伝社

○危ないっていうけど、まあ大丈夫でしょ。

○スマホの使い方ぐらい、わかってるから平気。

○自分はＳＮＳなんて、やらないから問題ない。

――そう思っていませんか？

実はそう思っている人ほど、犯罪者に狙(ねら)われています。
スマホ慣れしている人でも、
悪意のある人がその気になれば、
簡単に犯罪に巻き込まれます。

はっきり言って、いま
あなたが無事なのは、
〝まぐれ〟なんです。

……あえて、強めに言いました。
もちろん、スマホやSNSを使うなというわけではありません。

でも、Twitterを覗(のぞ)けば、事件のたびに
「スマホ怖っ。」「SNS怖い。」
――そんなツイートが溢(あふ)れている現状です。

では、「怖っ。」の正体って何なんでしょうか。

正しく怖がり、正しく向き合い、正しく活用するために、
スマホ・SNS犯罪でいま起きていること、その対策、
自分自身はもちろん、家族を守るための方法を
ご紹介していきたいと思います。

プロローグ――「デジタルタトゥー」って知っていますか？

とどまるところを知らないＳＮＳの発達。
みなさんはどう感じているでしょうか？

- 途切れてしまっていた旧友とつながれる
- 商品の宣伝やイベント集客など仕事で使える
- インフルエンサーになって稼げるチャンスが増えた

――というポジティブな声から、

- バカ発見器
- 言われなき誹謗中傷を受けた
- 自己承認欲求丸出しで恥ずかしい

——といったネガティブな声まで、いろいろ聞こえてきます。

もちろん、どちらの意見もあるでしょう。私も仕事でかなりスマホを使いますし、肯定派・否定派のどちらかを批判するつもりもありません。

ただし、肯定派の方はもちろん、ＳＮＳに関わりたくない、自分はそれほどスマホを使わない……という否定派の方であっても、無関心や無知であってはいけないことがあります。

それが、「自分だけでなく家族や友人までをも含めた、スマホ、ＳＮＳの取り扱い方」についてです。

報道等でご存じの方も多いと思いますが、近年スマホを入口とした恐怖が本当に増えました。

一つの投稿から誘拐（ゆうかい）やストーカーが始まり、親の知らないところで子どもが危ない大人とやりとりをし、恋人と別れればリベンジポルノで恥ずかしい画像を流され、何

かがあればすぐに身元を特定されて晒される世の中です。

みなさんもＳＮＳに不適切投稿があった際、メディアがその犯人の名前を伏せていてもネット上では瞬時に実名がバラされているのを見たことがないでしょうか？

また、そういうケースを見て、どうやって調べているのかと不思議に思ったことはないでしょうか？

この場合、社会のルールに違反した人が晒されたわけですが、**見方を変えれば、いつあなたが冤罪に遭い、その結果実名やプライバシーを晒されるかもわからないわけです。**

そしてその際、晒される情報のもとになるものは、あなたのスマホの中に入っているデータであり、過去のあなた自身のＳＮＳ投稿であったりするわけです。

キャッシュレス決済等で一層クレジットカード情報がスマホと紐付き、日々の予定や記録もスマホのカレンダーにメモ、ＳＮＳアプリを開けば会社や学校での表のあなたとは違う裏の顔の投稿が一発で丸見えになり、フォトフォルダにはプライベートな写真も盛りだくさん。

こんなスマホが誰かの手に渡れば、ハッキングされれば、過去の投稿を悪意ある人に利用されれば、どうなってしまうでしょうか。

2018年には、小説を映画化した『スマホを落としただけなのに』がヒット（2020年には続編も公開）し、2019年にはNHKでも『デジタル・タトゥー』というタイトルのドラマが放送されました。

社会全体がスマホやSNSに漠然と不安を持っていることは確かでしょう。

ただ、漠然としているために、まだ安全と危険の境界線をつかめていないのです。

そのために、「自分は大丈夫だろう」と都合よく考えてしまう。

私は、埼玉県警の捜査一課でデジタル捜査班の班長をしてきました。

その経験の中では、紛失したスマホが悪用されて、まさに「スマホを落としただけなのに」となった例も、一度アップされた画像が保存・拡散されて消せないネット上の入れ墨（いれずみ）「デジタルタトゥー」となった例も見てきました。

被害を受けてから気づくのでは遅いのです。

あなたにそのつもりがなくても、無自覚に自分や家族を危険に晒していることもあります。また、あなた自身の使い方は大丈夫でも、お子さんやご両親の注意不足によって、あなたが怖い目に遭うことだってあり得ます。

だからこそ、私は警察での経験を踏まえて、みなさんにスマホ社会で生きるうえで必要な防衛知識をお伝えしたい。

便利さからは簡単に引き返せないからこそ、求められているのはネットリテラシーです。

まずはみなさんご自身が理解していただき、そして身の回りの多くの方に本書の内容を広めていただけましたら、著者としては嬉しい限りです。

もくじ

プロローグ――「デジタルタトゥー」って知っていますか？ 4

第1章 事件はスマホで起きている

あなたのスマホ・SNS、本当に安全だといえますか？ 18

STORY1 父親の投稿が原因でストーカー被害に遭った女子高生 20

STORY2 スマホゲームをきっかけに監禁された小学生 29

STORY3 空き巣がニヤリと笑った「明日から旅行」のSNS投稿 38

STORY4 スマホに監視アプリを仕込まれ、浮気がバレて修羅場に！ 43

STORY5 不適切動画で身元を晒された少年 48

STORY6 スマホの紛失で始まった恐喝 55

第2章

その使い方、大変キケンです！

スマホの安全を守るために、いますぐすべきこと 64

○東京都だけで、紛失届は年間25万件以上 64
○スマホはあの瞬間に失くなっている 66
○パスワードをかけただけで安心していませんか？ 68
○「誕生日公開」は恐怖の入口 71
○絶対に推測されないパスワードの作り方 74
○指紋・顔認証でも突破される!? 76
○パターン認証の落とし穴 77
○夫婦・恋人間でパスワードや指紋を共有するリスク 79
○SIMカードをロックする 84
○ロック画面に通知を表示させない 90

SNSで自滅する人がやっていること 92

○娘さん、息子さんは大丈夫ですか？ 92

○その気軽な投稿、個人情報がいっぱい！ 96
○情報を隠したつもり……でも危険はまだある 105
○「いいね！」までチェックされていると思ったほうがいい 107
○「子どもの写真」のアップで「デジタル誘拐」発生 110
○すべてのＳＮＳが、位置情報を削除してくれているわけではない 115
○１分単位であなたの行動は記録されている 118
○鍵アカウントなら炎上しない、はウソ 122
○不適切投稿の代償は、一生もの 127
○タグ付けはトラブルのもと 134
○仕事で得た内部情報は、投稿しない 138
○誹謗中傷投稿をすれば、裁判になるケースも 141
○その投稿も特定材料に！――やりがちな危ない投稿例 144

ＳＮＳを安全に使うための設定 148

○ＳＮＳの二つの脅威に備える 148
○LINEの設定のポイント 149
○Twitterの設定のポイント 153
○Facebookの設定のポイント 157
○Instagramの設定のポイント 162

○すべてのSNSに共通するポイント 165

第3章 スマホから身を守るリテラシー

スマホからネット犯罪に遭う人が増えている 170
○そのサイト、フィッシング詐欺かもしれません 170
○アダルトサイト閲覧で騙される男子学生たち 177
○架空請求画面にあなたのスマホの個体識別番号が……どうすればいい？ 180
○安全なWi-Fiと危険なWi-Fiの見分け方 183
SNSで性犯罪に巻き込まれる少女たち 187
○わずか10分で20人の男が反応した少女の一言 187
○SNSの出会いに潜む狂気 189
○裸の写真を求める恋人は、あなたのことを真剣に考えていない 192
SNSで加害者になるケースが増えている 196

○犯人に間違われて実名を晒された女性　196
○デマが拡散される二つの理由　198
○SNSのフェイク情報を信じて逮捕された男性　202
○自分の「知っている」を疑え　205
○SNSの「#闇バイト」に行ったら、戻ってこられない　210
○薬物は、SNSで学生まで広がっている　213
わが子を破壊させない「スマホの持たせ方」　216
○子どものスマホデビューはいつがいいのか？　216
○子どものスマホの管理方法　221
○スマホの利用制限をする前には、必ず親子で話し合いを　227

第4章　進み続けるデジタル社会で必要な力

スマホが奪うコミュニケーション能力　232
○若者の半数が相手の目を見て話せない　232

○誤解が生まれやすいSNSの言葉たち　235
○子どものコミュニケーション能力を高めるには？　242

スマホが奪う「直観力」　246

○直観力のない人は、自分で危険を回避できない　246
○かつて「彼女の家電(いえでん)に出る怖い父親」によって、身についていたもの　252
○なぜ、炎上動画を不適切だと感じない人がいるのか　256
○「いいね！」やフォロワーの数で自分を評価しない　260

デジタルとアナログの融合　264

○スマホが使えなくなったら、どうしますか？　264
○緊急時に生き残れる人と困る人の差　267
○人にたずねることができますか？　271
○空腹を満たす方法は万引きだけ!?　274
○被害も犯罪も生む「同調圧力」に負けないために　278
○コナン君に学ぶ直観力の鍛え方　281

エピローグ ―― しかしながら、スマホから逃げてもいけない　285

ブックデザイン ―――――――― 小口翔平＋岩永香穂＋三沢稜（tobufune）
DTP ―――――――――――― キャップス
編集協力 ―――――――――― 坂本邦夫
カバー写真 ――――――――― ぱくたそ
帯著者写真 ――――――――― 津田聡
本文写真・イラスト（五十音順） ―― イラストAC、写真AC、ぱくたそ、
フリー素材ドットコム、Snapmart

本書に登場する写真や投稿はあくまで伝わりやすくするためのイメージです。写真のどの人物も素材サイトのモデルであり、どの名前・アカウント名も架空のものです。

また本書に登場する被害の話は、さまざまな実例をもとに構成されたフィクションです。

実在の人物や団体等とは関係ありません。

第1章

事件はスマホで起きている

あなたのスマホ・SNS、本当に安全だといえますか？

いまや生活に欠かせない存在になったスマートフォン（以下、スマホ）。**その利用率は全世代平均で87・0％に達し、最も高い20代は99・0％とほぼすべての人が利用しています。**

それにともないSNS（Social Networking Service：会員制交流サイト）を利用する人も増えました。**最も利用率が高いのはLINEで82・3％で、以下にはTwitter 37・3％、Instagram 35・5％、Facebook 32・8％と続きます**（スマホの年代別利用率・SNSの利用率、ともに総務省「平成30年度 情報通信メディアの利用時間と情報行動に関する調査報告書」）。

SNSは、「友人知人と気軽にコミュニケーションがとれる」「同じ趣味嗜好（しこう）の人とつながれる」など交友関係を広げたり、ほしい情報や最新の流行などを知るのにとても便利なツールであることは確かです。

ただしＳＮＳにはそうしたメリットがある反面、デメリット（リスク）があることも忘れてはなりません。プロローグでも記した通り、使い方を間違えると思わぬ犯罪やトラブルに巻き込まれる恐れがあるからです。

ＳＮＳで起こるトラブルは、実名を晒されたり、お金を奪われたり、ストーカー被害や誘拐に遭うなど深刻で取り返しのつかないものが本当に少なくありません。

話題にはなっているけど、自分には無関係――そう思っていた人が、どれだけ怖い目に遭ってきたか。そんな例を私はたくさん見てきました。

何気なくつぶやいた投稿が、あるいは軽い気持ちでアップした1枚の写真が、ＳＮＳの利用者を恐怖の淵に突き落とす――。

ＳＮＳに慣れている方にはいまさらな話もあるかもしれませんが、ＳＮＳになじみのない方のためにも、そんな事例をご覧いただくことから本書を始めたいと思います。

STORY

1

父親の投稿が原因でストーカー被害に遭った女子高生

一人娘の陽菜が震えている。

床に落とした透明な箱には、スマホケースとメッセージが書かれた紙が入っていた。

「陽菜、どうしたんだ？」

「少し前からTwitterにDM（ダイレクトメッセージ）がくるようになって、ブロックしたんだけど……。家までバレてたなんて……」

その話で娘が見ず知らずの男からストーカーに遭い、ついに自宅までバレて脅迫的なメッセージが送り付けられてきていることがわかった。

家がバレて、娘が狙われていることの恐怖。

その原因が父親である自分のSNSにあったとは――。

僕は、娘の高校入学式の日にミスを犯していたようだ。

受験勉強を頑張って県立の難関校に合格した陽菜は、僕の自慢の娘だ。

入学式の朝、人生で一度しかない今日の瞬間を残したくて、妻と3人で家を出たところで娘にお願いした。

「陽菜、ちょっとそこで1枚写真撮らせて」

「えー、恥ずかしいから嫌なんだけど」

思春期真っただ中の娘に抵抗されたが、それでも根はいい子だ。

元々はパパッ子でもあったし、父親の気持ちを汲んでくれたのだろう。歩きながらだが、1枚だけ撮らせてくれた。

「陽菜ももう高校生かぁ……」

感慨深くなった私は、友人たちに気持ちをシェアしたくなって、早速その写真をFacebookに投稿した。

ところが、たくさん「いいね！」をもらって、「鈴木さん、おめでとうございます！」

鈴木 学
３２分前・
今日は娘の入学式〜
早いもので高校生になりました！
木村 太一さん、他69人
コメント4件
いいね！
コメントする
送信

「学の娘も高校生かー」なんて言われてハッピーな気分に浸っていたのが甘かった。

知人の一人から「娘さんの写真がネットに流出して個人情報が晒されている」と連絡があったのは、それから2週間後のことだった。

驚いて教えてもらったサイトを見ると、そこは有名な掲示板で、娘の写真はお気に入りの女子高生の写真を紹介し合うスレッドに掲載されていた。

入学式の朝、家を出たところで僕が撮ったあの写真だ。

「公開範囲を友達までに設定していたのに！　誰だ、うちの娘の写真をこんなところに転載した人間は！」

瞬間的に怒りが沸き上がってきたが、昔の学生時代の友人から、仕事やイベントで一度会っただけの人、面識はないけれど「共通の友達5人」のような表示を見て申請をOKした人まで含めて、友達承認している人数が多すぎて、誰が僕のFacebookページから写真を流したのか見当もつかない。

しかし、その怒りは長くは続かなかった。

その掲示板を読み進めていくと、写真に写り込んだものから、

「この制服は●●県立●●●高校だ」

「写真の後ろに見えるのは●●団地で、撮った場所は●●●●公園だな」

「ってことは最寄り駅は●●で、使ってるのは●●線か」

と情報を出し合い、娘の高校やわが家の地域、使う電車などを特定していた。

中には「かわいい、付き合いたい」とか、それだけにとどまらない卑猥で悍ましい書き込みまである。怒りが恐怖に変わり、自分でも血の気が引いていくのがわかった。

深呼吸をして一度頭を落ち着かせてから、知り合いの弁護士に頼んで、すぐにそれらの書き込みを削除してもらう手続きをとった。

「これで沈静化してくれれば……」

しかしその願いは虚しい希望に終わった。そのときすでに娘に魔の手が伸びていた。

●
●
●

パパが掲示板に削除依頼をしていたという頃、私のTwitterには「お大事に」というリプライ（返信）がきていた。

その日、私は「風邪ひいた。頭痛い」とツイートしていた。

アカウントは「鍵垢（かぎあか）（非公開設定にして鍵をかけたアカウント）」にしてる。

ただ、そこにくるフォロー申請のことは、あんまり注意してなかった。

この前きた申請も、自分の好きなバンドとか、アイドルがプロフィールにあったから「趣味が合いそう」くらいのノリで承認した。

「お大事に」って送ってきたのもその人だ。

でも、軽い気持ちで「ありがとう」と返したのがいけなかった。少ししたら、「今度一緒に●●（某アイドル）の映画に行こうよ」とＤＭがきたから、それからは無視。

そしたら、もっとひどくなった。

「●●駅前のカフェのケーキおいしい？」「今朝、電車で居眠りしてた姿がかわいかったよ」って、後をつけられてるのがわかった。

怖くなって「やめてください。」だけ返したら、今度は駅や通学路で隠し撮りした写真まで送ってくるようになった。だから、その男のアカウントをブロックした。

その結果が、自宅に届いたスマホケース。

前に私が「あれ、いいな」ってツイートしてたやつだった。

誕生日に自宅のポストにそのケースが入っているのを見た瞬間、息が止まった。

いつ目の前に直接現われるかもって思うと、怖すぎて涙が溢れて止まらなかった。

●
●
●

娘から深刻な状況を打ち明けられたのはそのときだった。

娘につきまとうストーカーが、娘の誕生日にわが家の玄関先までやってきた。

ネットの恐怖が現実の恐怖に変わって、日常の景色が変わってしまった……。

僕は弁護士にまた相談し、警察に被害届を出した。
幸いにも捜査開始からすぐにストーカーは同じ県内の27歳フリーターの男と判明。娘の写真を掲示板で見つけ、「好みの子で付き合いたかった」と動機を話したという。

掲示板の情報で、男はわが家の最寄り駅と学校で待ち伏せ、娘を見かけて尾行。学校帰りに友達と話す会話を盗み聞きし、名前が「ハルナ」で弓道部という情報を入手。男はそれをもとに、高校名や弓道部などでハッシュタグ検索（「#」の後ろにキーワードを付けて行なうSNSの検索方法。たとえば「#弓道部」で検索すると、弓道部についての投稿がまとめて見られる）をかけ、娘と同じ弓道部の友達のアカウントを見つけ出し、その子のフォロワーの中にいる人たちのページに一つずつ飛んでいって絞り込むことで、娘の非公開のアカウントを特定したと白状した。

娘のアカウントは鍵垢だったが、プロフィール欄を見られる状態になっていた。
男はそのプロフィール欄から娘の好きなアイドルやバンドなどを確認すると、自分のプロフィールにもそれらの情報を入れ、似た趣味のフォロワーも増やし、関連するツイートやリツイートを頻繁にしたうえで、フォローリクエストを出していた。

警察から聞いた話では、非公開設定のユーザーであっても、その人に気に入られるようにアカウントをうまく育て、それらしく装うことができれば、非公開の鍵は意外と簡単に開くという。実際、娘もその男の狙い通り、申請を承認してしまった。

男はストーカー規制法により警察から警告を受け、二度としないと誓約書を書いた。でも不安は消えない。Facebookに写真を投稿した結果、娘を危険に晒してしまったわけで、妻にも自分の甘さを怒られ、猛省する毎日だ。

結局、写真を誰が掲示板に転載したのかはわからないままだし、削除前に写真やわが家の情報をスマホやパソコンに保存した人間がいるかもしれない。

そうなると、いつまた娘が狙われるかもわからない……。

せっかく数年前に手に入れたマイホームだが、処分して引っ越すことを考えている。

STORY

2

スマホゲームをきっかけに監禁された小学生

娘の結衣(ゆい)がいなくなった。

塾に行く結衣の姿を見送って、もう10時間以上が経っている。

塾からの電話は、娘が家を出てから1時間後にあった。

「結衣さんがいらしてませんが、今日は欠席でしょうか?」

「えっ、確かにいつも通りに家を出たんですが……」

結衣は、母親の私の目から見ても明らかに勉強好きではない。親としては、娘に良い教育を受けさせたくて、有名な進学塾に入れたけれど、本人は宿題に追われる塾の生活に相当ストレスが溜まっているみたいだ。

とはいえ、私たちの住む区の小学校ではクラスの3割が中学受験をする。私も「いまの子は小学生のうちからかわいそうだなあ」と少し思いつつ、将来路頭に迷ってほしくない気持ちのほうが上回って、心を鬼にして塾に送り出していた。

そんな前提があったので、塾からの電話があったとき、最初はどこかでサボっているのかと思って腹が立った。

でも、塾からの電話の後に結衣にLINEを送っても、一向に既読（メッセージを開封して読んだ意）の印がつかない。不安になって電話をかけても電源が落ちている。嫌な想像が駆けめぐった。何か事件に巻き込まれたんだろうか？

——いや、そうに違いない。一気に怖くなって人生で初めて警察に電話をかけた。

「もしもし、娘が！　娘が！」

「お母さん、落ち着いてください。順を追って教えてください」

結衣がいなくなるなんて考えたこともなかったから、動転してうまく話せない。横にいた夫が電話を替わり事情を伝え、すぐ警察署に行って捜索願を出すことになった。

その後、もしかしたら塾が終わる時間に何事もなく帰ってくるかもしれないと思ったが、いくら待っても結衣は帰ってこなかった。夫はたまらず家の周りを探しに行き、私は家で警察からの連絡を待った。

万が一、結衣にもう会えないとしたら……振り払っても、振り払っても、ネガティブな想像が拭(ぬぐ)えない。眠れないうちに朝になっていた。

●　●　●

最近、家の中の空気が悪い。自分の模試の結果が悪かったことで、パパとママが「お前の教育が悪い」「あなたは何もしてないくせに」とか言い合いしてるのが聞こえる。

6年生になって塾の日がまた増えた。明日は塾の日だなって思うたびに、気が重くなる。塾やめたいなぁ、なんで勉強しなきゃいけないんだろう。

塾も嫌だし、家にいても息苦しい。

それで友達が面白いって言ってたスマホゲームを始めた。ゲームをしてるときだけは、嫌なことを忘れられる。

でもちょっと遊んでるのが見つかると、「宿題やったの？」ってすぐママが注意してくる。何時間かごとにノックもしないで部屋覗いてくるのもウザい。

しかも、先週なんてゲームしてたら、パパが「いつまでスマホやってるんだ！」って怒鳴り込んできた。別に好きで塾に通ってるわけじゃないし、パパがいるとずっと家の中ピリピリするし、ママも「そんなことじゃ合格できないわよ」ばっかり。

もうこんな家いたくないいんだけど！

だから、スマホのオンラインゲームで仲良くなった人から「今度相談乗るよ。会いに行って話聞こうか？」ってメッセージがきて、まぁいいかなって思った。

その人のハンドルネーム（ネット上のニックネーム）はヒロキで、サムネ（サムネイル画像。小さな枠のプロフィール写真）もイケメンだった。ゲームもうまくて、いつもアイテムをくれたり、難しいステージも助けてくれて優しい。

最初はゲームの中でチャットし始めて、途中でLINEのアカウントと名前を聞かれたから教えてあげた。

「来週の土曜日に会いに行っていい？　どこに住んでるの？」

来週の土曜ならちょうど塾だから出かけるのも怪しまれない。それでうちの住所を教えたら、最寄りの駅まで迎えにきてくれることになった。

・
・
・

●●駅に行くと「結衣ちゃん？」って話しかけられた。
ヒロキはサムネのイケメンとは似てなかった。でも私もアプリで加工してだいぶ盛った画像をサムネにしてるし。ちょっと実物は冴えない感じのお兄さんとおじさんの間な雰囲気だけど、優しそうだし、キモくないからまあいいかな。

「プチ家出なんだから、今日だけはスマホの電源切っちゃおうよ。じゃないとすぐ電話で怒られるよ」って言われて、鬼電してくるママの顔が浮かんで電源を切った。

「寒いから乗って」と言われて、車に乗ると1時間ぐらい走ってヒロキの家に着いた。一軒家でほかには誰もいないみたい。ちょっと怖かったけど、お菓子を食べながら家のこととか、塾のこととか、しゃべってるうちに段々と緊張が解けてきた。久しぶりに楽しかった。やっぱりヒロキはいい人なんだなって。


でもそうこうするうちに、外も暗くなってきた。

私、今晩ここに泊まるのかなぁ……さすがにちょっと心細い。

そんな私の空気を察したのか、「せっかく家出したんだから、そんなすぐ帰ったらもったいないでしょ?」ってヒロキがちょっと強めに言ってきた。

どうしよう。怖い。ひとまず、スマホの電源を入れようかな。

そう思ってスマホを塾のかばんから出した瞬間、「オレにスマホを貸そうか」。

優しげな声の音には似合わないナイフをヒロキが見せてきた。スマホが没収された。

殺される……。もう帰れないのかと思ったら、ものすごく怖くなった。でも、いま焦ったら余計に危ない。怖いのを必死で抑えて、おとなしくすることにした。

刺されるんだろうか、襲われるんだろうか。


そうこうするうちに、ヒロキはゲームをし始めた。

何時間が経ったんだろう、ヒロキのピリピリした空気が落ち着いてきた気がする。

ちょっと眠たそう。チャンスかもしれない。

「トイレに行ってもいいですか……？」

「廊下出て右だよ」

思ったより警戒されてない。もしかしたら、そのまま出られるかも。

でも、見つかったら殺される。そう思うと、すぐに玄関から脱出はできない。

ヒロキはこっちをちらちら見ながらゲームを続けている。

ひとまず、トイレに入って鍵を閉めた。


ほっとひと安心。でもゆっくりしてる時間はない。

そのとき、トイレの小窓に気づいた。1階だし、頑張れば出られるかも……。

もう迷ってる時間はなかった。そーっと小窓を開けると、体をねじ込んで外に出た。

そのまま裸足で明るくなってきた早朝の街を一目散で走り始める。

すれ違った大人に助けを求めようかと思ったけど、もし悪い人だったら……と思うとまた怖くて、とにかく走った。

ものすごく走った気がする。ようやくコンビニが見えた。

「助けてください！」

レジのおばさんが事情を把握して抱きしめてくれた。

気づかないうちに、涙がこぼれ落ちていた。

●　●　●

警察から私に電話があったのは、朝5時だった。

「お母さん、結衣ちゃんを無事保護しました！」

安心して、張りつめていた体中の力が抜けてしまった。

警察の人から聞くと、結衣はスマホのオンラインゲームで知り合った男について行って、そのまま監禁されていたという。

スマホは結衣にせがまれて、夜の塾通いもあるからと、昨年買い与えた。でも、安全を確認するためのスマホが、事件のきっかけになっていたなんて……。

結衣が帰ってきて抱きしめてから、なんで家出をしてしまったのか、どうしてスマホで知らない男の人についていったのかを聞いた。

私たちの空気の悪さが家出の原因になっていたそうで、ただ頭ごなしに怒るわけにもいかない。でも、スマホを小学生で買い与えるのはやっぱり早かったのかも……。

私たちよりも結衣のほうがスマホを使いこなしている。たまに結衣のスマホを確認していたが、やっぱりチェックが追いつかない。

だからこそ、スマホを使ううえでの分別をつけてあげないといけないと思う。これから、スマホとどう付き合えばいいんだろう。いま、本当に悩ましくて困っている。

STORY

3 空き巣がニヤリと笑った「明日から旅行」のSNS投稿

「明日から家族でタイのプーケット～　久しぶりに4泊5日の旅行です！」

昨年の4月末、Instagramにそう投稿した翌日、空き巣に入られました。現金や貴金属、高級腕時計、ブランドバッグなど被害総額約300万円。犯人は複数でトイレの窓から侵入。

2カ月ほどして犯人グループが逮捕されましたが、その供述は驚くべきものでした。

きっかけは私がInstagramに投稿していた写真。

私は、それまで新しい腕時計やブランド物の洋服、バッグを買うと、テンションが上がり、その写真をつい投稿していました。

写真
_hrc731.
ann.a0a、他38人が「いいね！」しました
_hrc731. 明日から家族でタイのプーケット～
久しぶりに4泊5日の旅行です！
#明日から旅行 #プーケット #タイ大好き #GW
#プーケット観光 #家族旅行 #子連れ #荷造り完了

旅行前日の「明日から旅行」の投稿も、とあるブランドのキャリーケースの写真に添えたコメントでした。

犯人グループは、お金を持っていそうな人物を物色するために高級品やブランドの名前などでSNSのハッシュタグ検索を行なっていたそうです。

私はかつてアップしたブランドバッグの写真とそこに付けたハッシュタグのせいで、まんまとその網にかかった1人だったようです。

家を特定され、空き巣に入るタイミングを図るためにそれからInstagramの投稿を毎日チェックされていたらしいのです。

警察の人からは、

「ブランド物の洋服やバッグなんかをハッシュタグやコメント付きでインスタに投稿してたでしょう？　それはここ数年よく狙われる典型なんですよ。

それと、家の中や家の近くで撮った写真を頻繁にアップしてたのもよくないですよ。家の中の写真は、ドアの鍵の種類とか突破しやすい経路のヒントをあげているようなものだし、近所の公園やレストラン、ジョギングコースなんかも自宅の場所とか、周辺情報を犯人に教えてるようなものですからねぇ」

とお叱りを受けました。


逮捕後の供述によると、私のこれまでの投稿から家を特定していた犯人グループは、さっそく下見に動いたそうです。そこで一軒家でガレージにドイツ製の外車があることを確認。しかも通りから少し入っていて人目にもつきにくい。

格好の獲物だったでしょう。あとは決行日を探るだけ。

そして、犯人グループが私のInstagramの投稿を追い続けていたところ、4月末のあの「明日から旅行」の投稿で犯行に至ったわけです。


自分でも本当に恥ずかしい話です。家にあるブランド物をひけらかして物色する手間を省いてあげた挙げ句、明日から5日間留守だと空き巣に教えていたわけですから。

それからというもの、こうしたＳＮＳ被害の話題には敏感になりました。

私が被害に遭ったすぐ後にも、高須クリニックの高須克弥院長が「明後日から台北」とTwitterでつぶやいて、愛知県日進市の別宅が空き巣の被害に遭ったことが報道されていました。

盗まれたのは金塊7kgとパソコンで、被害総額はなんと約3400万円だとか。高須院長は、SNSの投稿を「なめていた」と反省されていました。

私も空き巣被害を教訓に、それまで制限をつけていなかったInstagramの公開範囲を承認済みのフォロワーだけに限定する非公開の設定に変えました。面識のない人やそれほど付き合いのない人を承認するのもやめました。

また「家族で旅行中」のように自分が現在どこで何をしているかわかってしまうリアルタイム投稿は、防犯上のリスクが大きいのでやめ、「先週、家族で旅行に行ってきました」といった具合に時間差をつけて、過去形で投稿するように改めました。

もちろん、犯人に目をつけられた最大の原因であるブランド品の写真投稿はそれ以降一切やめました……。

STORY

4

スマホに監視アプリを仕込まれ、浮気がバレて修羅場に！

「まさか、寝ている間にロックを外されて監視アプリを仕込まれていたなんて……」

いま、私は妻と離婚協議の真っただ中です。

原因は自分の浮気。

浮気相手の女性とは半年ほど前に知り合い、互いに割り切った関係でした。

家では吐き出せない日頃の鬱憤（うっぷん）を解消することで、家にストレスを持ち帰らずに済むなら、それも家庭平和のための一つの方法だとさえ思っていたのです。

お互いに子どももいるので、家庭を壊さないようにうまくやっていたつもりでした。

しかし、実際には不倫が始まって1カ月もしないうちに、妻には女性の存在を勘づかれていたようです。

あるとき、私のスーツのポケットにレストランのレシートを見つけた妻は、「日付＝●月●日、店の名前＝●●●●、精算時間＝20時、人数＝2人」に目をやり、「怪しい」と直感したといいます。

その日は「残業で遅くなる」と連絡していて、帰ったのは深夜0時過ぎでした。

それなのに、出てきたのは2人で食事をしたレシート。

このあたりが男の（いや、私の）ずさんなところなんだと思います。

その店はカップルの多い店で、かつて妻とも行ったことがありました。

だから余計にピンときたんでしょう。

しかもレジが済んだのは20時。帰宅まで4時間の空白。

移動や帰りの時間を考えても3時間以上ある。

いったいどこで誰と何をしていたのか――と。

疑惑を抱いた妻が、仲の良い女友達に相談したところ、

「旦那のスマホに監視アプリを入れて行動を監視してみたら？」

と言われ、詳しくやり方のレクチャーを受けたそうです。
その友達は、理系の大学を出て大手ＩＴ企業で働くバリバリのシステムエンジニアだったとか。

妻が意を決して事に及んだのは、私が取引先との会食でかなり酔って帰宅した日の夜のことでした。

私はシャワーを浴びると、5分もしないうちに眠りに落ちていました。
妻はベッド脇に置かれた私のスマホを手に取ると、寝ている私の右手の人差し指をスマホに押し当ててロックを解除、教えられた手順で位置情報のわかるアプリをインストールした（らしい）のです。
ロックに指紋認証を使っていて、それが人差し指であることは、私がスマホを使うのを横から見ていて当然知っていたと思います。

妻が私のスマホにインストールしたアプリは、私がいまどこにいるのかリアルタイムで確認でき、なおかつ遠隔操作でカメラを起動して写真を撮ったり、音声を録音して連動させたパソコンからチェックできるものでした。

当然私の動きは筒抜け……。

そしてついに、「札幌1泊出張」とウソをついて都内のホテルに女性と宿泊した翌日、何食わぬ顔で帰宅した私が、「はい、これ」と都内にある北海道のアンテナショップで買った札幌土産（みやげ）を渡そうとしたそのとき、妻はその手を振り払って、冷たく言い放ったのです。

「はぁー!? それ、有楽町で買ったのバレてんのよ！ 札幌に出張してるはずのあなたが、なんで東京の●●ホテルにいるの？ ふざけるのもいい加減にしなさいよ！ 何よこれ？」

――ハッと息を呑（の）んだときには、すでに急所を突かれた後。

妻の手には、浮気現場の写真のプリントと録音された音声。

その瞬間、「終わった」と悟（さと）りました。

言い訳しようにも、アプリによって証拠が出揃っている。

あまりの衝撃に言葉も出ませんでした。

結局、それからすぐに別居。慰謝料と養育費の結論はまだ出ていません。

私は、基本的にスマホはいつも肌身離さず持っていました。だから自分の浮気はそう簡単にバレないと思い込んでいたのです。

自分のスマホの取り扱い能力を過信していました。自分が気づかないうちに、知らないアプリを入れられることの怖さはものすごかった。

もちろん、浮気については反省するばかりです。身から出た錆とはいえ、戻せるなら時間を戻したい……。

（※カップルであろうと、本人の同意のないアプリ等のインストールは、不正指令電磁的記録供用罪に問われる可能性があります。過去には夫婦間での逮捕例もあり、3年以下の懲役または50万円以下の罰金に処せられるれっきとした犯罪です）

STORY

5 不適切動画で身元を晒された少年

3年前、高校の友達数人と回転寿司店で食事をしたとき、面白半分でイタズラ行為をし、その様子を録画していた友達がそいつのInstagramのストーリー（正式名称はストーリーズ）にアップした。

仲間ウケを狙った、単なるおふざけ。

中学の頃も、よく部活の友達とファミレスに行くと、ドリンクバーでいろんなものを混ぜて、どす黒い飲み物を作ったりしてたし、その延長線ぐらいのつもりだった。

違うのは、あの頃は周りの友達も自分もスマホを持たせてもらえてなかったから、動画を撮ったりはしてなかった、ってこと。

でもストーリーの動画は、どうせ24時間で自動的に消える。

そいつも友達にしか見えないように設定してたし、別に何とも思ってなかった。

ytyt-ryotaaaaaaa1211 21時間
やばっ。ワサビ大量に入れて
戻しやがったーｗｗ
メッセージを送信

ところがこの動画が、大問題になった。

アップした動画をその場にいなかった友達が、「あいつら、こんなことしてるよ」とさらに別の友達にLINEで送り、その友達がまた別の友達に送る形で広がっていったらしい。

やがてそれを見た僕の知らないある人が、「これ、まずいんじゃないの?」と、ダウンロードしてTwitterに投稿したことで一気に拡散。

掲示板にスレッドが立ち、まとめサイトに載り、「こいつらふざけてる!」のバッシングが巻き起こった。


すると、驚くほどのスピードで、自分の身元がSNS上で暴かれ始めた。

まず、その動画を撮った店が有名チェーンの●●駅前店であることがすぐ特定され、一瞬だけ映るワイシャツの袖(そで)のマークやかばんのデザインから当時通っていた学校名が割り出された。

さらに、友達が飲食店でのイタズラのことを鍵のかかっていないTwitterにも書き込んでいたために、そいつのフォロワーリストから僕も含めて連鎖的に紐付けられて、ついにはプロフィールや過去のツイート、学校での部活も割れて、集合写真や中学の卒業アルバムまで発掘されていった。

そしてとどめは、掲示板に書き込まれたこの一言。

「オレこいつ知ってるかも。●●高校の●●●●だよね？」

それはまさに僕の本名だった――。

●　●　●

自分たちのおふざけ投稿で苦い思いをしてから、3年が経った。

当時は、学校で厳重注意を受けて停学。親と一緒に動画に関わった全員で店まで謝りに行って、なんとか許してもらった。

その後、不適切投稿はもっと社会現象化し、ニュースで取り上げられるまでになった。もし、いまあの投稿をしていたら、謝罪だけでは済まなかったかもしれない。

とはいえ、月日が経てば苦い思い出も薄れていく。不適切投稿のニュースを見てはチクリと心が痛むけれど、それ以外は普通の大学生活を送っていた。


しかし、そんな毎日に変化が起きたのは、大学3年の就活が始まってからだった。

自分自身、就活はすごくやる気だった。なんといっても人生が決まる一大事だ。OB訪問なんかもかなり積極的にやって、リクルーター面談も通過して、この分だと同期の中でもかなり早く就活終われるかな、なんて思っていた。

そんなある日、突然「慎重に検討をさせて頂きましたが、誠に残念ながら、今回は貴意に添いかねる結果となりました」と、不採用を知らせるお祈りメールがきた。

あれだけ手ごたえがよかったのに……。結構ショックだったが、まだ就活は始まったばかりだ。くじけず就活を頑張り続けた。

ところが、いつもいいところまで行って祈られた。中には「君なら、たぶん大丈夫」と人事に言ってもらえていた会社まで、不採用になった。

どうしていいのかわからなくなり、就活初期にOB訪問をさせてもらったサークルの先輩に相談してみた。

すると先輩は、「お前のためを思って言うけど、お前高校生の頃、SNSにふざけた動画を投稿して炎上したことあるだろ?」と言った。

「いや、でもアップしたのは別のやつだし、反省してみんな当時のアカウントも削除して、いまは自分は情報収集用のアカウントしか……」

「お前がアカウントを削除してても、当時のバッシングも、お前の本名も、全部まとめてSNSに残ってるんだよ。オレだって人事から怒られたんだから。炎上するようなやつを推薦して見る目ないのかって」

完全に甘かった。まさかあのときの動画が、いまの就活に響いてたなんて……。

その後、先輩にはちゃんとした企業なら、最終候補者の名前くらいネットやSNSで検索して見てるぞってダメ押しをされた。

問題を起こせば、ネットで個人情報を晒され、それが永遠に残るんだ。

改めて、痛感した。そして、ハッとした。

もしかして、それは今回の就活だけじゃない。たとえ調べの甘い会社に勤められたとしてもずっとビクビクし続けなきゃいけないし、取引先にも何かのきっかけでバレるかもしれないし、勤め先がブラック企業だったとしても転職もままならないだろうし、結婚しようと思っても相手の両親が調べていれば確実に反対される……。

はい、人生詰んだー。

軽い気持ちのイタズラで、自分は一生を棒に振ったんだ。

3年越しで改めて気づかされた。でも後悔しても遅い。あの動画以外、人生ほぼ真面目にやってきたと思う。あのときはただ「いいね！」がほしくて、周りの友達が盛り上がってくれるのが嬉しかっただけ。高校生の頃の若気の至り。でも一発退場。

実際、就活も佳境（かきょう）の時期になり、同期の内定の話が聞こえてくる中、僕はまだ1社も内定をもらえないでいる。そして、当時の動画はいまもSNS上に転がっている。

STORY

6 スマホの紛失で始まった恐喝

いま、振り返ってもあの1カ月は人生最大の恐怖でした。

それは去年の4月中旬のこと、突然差出人不明の手紙が届きました。中を見ると「お前の秘密を知っている。500万円払え」とあって、僕のちょっとマズイ写真が1枚同封されています。

それを見てすぐに、「あっ、スマホがやられた!」と思いました。

実はその1週間ほど前、会社の同僚と居酒屋で飲んだ帰りに僕はスマホを落としていたんです。

結構酔っていたので、スマホの紛失に気づいたのは家に着いた直後。

すぐ自宅の固定電話からスマホにかけましたが、近くで鳴る音もせず、応答もありません。

これは本格的に失くしたらしい……そう思い、携帯ショップも閉まってる時間なので、とにかくクレジットカード会社に電話をし、ネット通販利用時にスマホに登録していたクレジットカードを止め、近所の交番に届け出て、その日は眠りにつきました。

翌朝、まずはできることをしようと、もう一度自宅の固定電話からスマホに電話。するど、今度はわずか数コールで誰かが出ました。

「あ、それは僕のスマホです。昨夜落としました」と伝えると、「こちらは●●駅前交番です、今朝小学生の男の子が拾って届けてくれましたよ」と言います。

そこは昨夜飲んだ店の近くにある交番でした。

ほっとした僕は、会社に行く前に立ち寄ってスマホを受け取ると、その日のうちに小学生の家にお礼の品と礼状を送る手配を済ませました。

やれやれこれで一安心。戻ってきてよかった。

しかし、そう喜んだのも束の間、それから1週間ほどして例の脅迫の手紙が送られてきたのです。

・
・
・

あの写真はスマホに保存してあったので、ロックが解除されたのは明らかでした。でも犯人はあまり苦労しなかったはずです。恥ずかしい話ですが、僕の設定したパスワードは、一番安易とされる「123456」。

まさか失くすと思わないので、簡単なのにしていました。だって複雑なのだとイチイチ面倒くさいから。それが失敗でした。

僕もここ数年は、スマホで管理するものが増えました。仕事相手の名前、電話番号、メールアドレス、生年月日はもちろん、写真、動画、メール、連絡先なども全部入っています。

ロックを解除できれば、それが何でも見放題の取り放題です。

おそらく犯人もクレジットカードが止められていることに気づいたのでしょう。

そこで目をつけたのが、手紙で送り付けてきた写真だったんだと思います。

実は僕はバツイチで、いまの奥さんと再婚する前に一時期別の女性と付き合っていました。そのときホテルで撮った、ちょっと人には見せられない類の写真が複数枚スマホに残っていたんです。

それをネタに犯人は、「金を出さないとネットにばらまく」と脅してきたのです。

・・・

二度目の接触があったのは、それから3日ほどした頃で、今度は僕のパソコンに「4月末までに金を用意しろ」と見慣れないアドレスからメールが届きました。

犯人は個人情報の登録が不要なフリーメールアドレス（@以下にあるドメインを検索してわかりました）を使っていて、そのアドレスからこの前とは別の写真を1枚送ってきました。

僕は堪らず、「500万円なんて大金、とてもうちにはないです。待ってください」、そう返信をしました。しかし犯人からの返信はありません。

弱みを握られているのは、精神的にかなりきつい。しかもスマホに入っている個人情報を、犯人側はすべて把握している。

たたみかけるようにきた第二波にかなり動揺しました。

次の休みには、警察に相談に行こう……。

ところがそう思っていた翌日、残業して帰った僕は、妻の言葉にさらなる衝撃を受けました。

「さっきあなた宛てに電話があったわよ。写真の件、よろしくお願いします。それだけ伝えてくれればいいですからって。何のこと?」

「あ……、ああー、去年高校の同窓会があったろう。あのときの写真がほしいって、欠席したやつに頼まれてたんだ。そいつだよ」

咄嗟にごまかしたものの、あまりの恐怖に声が震えるのが自分でもわかりました。

脅迫の魔の手が真綿で首を絞めるようにジワジワと迫ってくる……。

1時間後、たまりかねた僕は「たとえ500万円を払ったとしてもそれで恐喝が終わるとは思えない。警察に届けるしかない」と覚悟を決め、妻に一連の経緯を正直に打ち明けて、翌日警察に相談に行くことにしました。

●　●　●

犯人が逮捕されなければ、脅しはなくなりません。

そこで相談に行った際に警察からされたアドバイスに従い、犯人と接触を続けることにしました。

最終的に「200万円なら何とか工面できる」と恐喝に応じるふりをし、犯人を現金の受け渡し場所におびき出したのです。

そうとは知らない犯人は、待ち構えていた警察に恐喝未遂の現行犯で逮捕されました。38歳のニートの男でした。

供述によれば、たまたまスマホを拾ったのは僕が飲んでいた居酒屋のすぐ近くで、その夜のうちにロックを解除してデータを抜き取ると、翌朝、あえて交番からほど近い小学校に続く歩道に捨てていました。男はスマホが交番に届けられて見つかることで、持ち主が油断するのを狙っていたそうです。

スマホを失くしてから事件が解決するまでの約1カ月間、生きた心地がしませんでしたが、警察の人からは「ある意味運がよかった」とも言われました。

犯人がもっとスマホやネットの世界に詳しい人間であれば、こちらの紛失届よりも先回りして、それこそ映画の『スマホを落としただけなのに』のようにクレジットカードの不正利用やSNSでのなりすまし詐欺(さぎ)など、さらに深刻な事態が起きていた可能性があったからです。それも友人知人を次々とトラブルに巻き込みながら。

画面ロックのパスワードをあんな簡単なものにしていた自分が馬鹿だった——。

いまは簡単に解除できないように、もっと複雑なものに変えています。

・・・

第1章では、スマホにまつわる事件やトラブルをストーリー形式で見てきました。

完全ノンフィクションではありませんが、多くの実例に基づきながら、複合的に構成しました。これらは極端な事例に見えるかもしれませんが、実際にはいつどこで誰に起こってもおかしくありません。

では、こうした恐怖はどうすれば防げたのか。

第1章のストーリーの種明かしとして、あのような恐怖を呼び込んでしまった「問題のあるスマホ・SNSの使い方」について、第2章でより詳しくお話しすることにしましょう。

第2章

その使い方、大変キケンです！

スマホの安全を守るために、いますぐすべきこと

東京都だけで、紛失届は年間25万件以上

酔って記憶をなくし、朝起きたらスマホがない。真っ青になった――。第1章のSTORY6のように、そんな経験をされた方もいるのではないでしょうか。

警視庁の調べによれば、2018年にスマホや携帯電話を失くしたと届け出があったのは25万7718件、また拾ったと届け出があったのは15万6071件（警視庁「遺失物取扱状況（平成30年中）」）です。

つまり、差し引き10万1647台が失くしたまま消えてしまったわけです。

1年間に東京だけで、これほどのスマホや携帯電話が消えている。驚きます。

スマホの紛失は、傘などの置き忘れとはまったく意味合いが違います。

スマホには持ち主の名前、電話番号、メールアドレス、生年月日はもちろん、写真、動画、メール内容、通話履歴、連絡先、自宅や職場の位置情報、スケジュールなどの個人情報が詰まっています。

そこには家族や恋人、友人知人などの情報も大量に含まれ、大なり小なり仕事関係の情報も入っているはずです。

クレジットカードや電子マネー、キャッシュレス決済などお金に関する情報もあるでしょうし、中には家族や恋人、友人などにも知られたくないシークレットな情報が含まれている人もいるかもしれません。


それらは個人情報の塊（かたまり）ですから、絶対に外部に漏（も）れないように、必ずスマホの画面にロックをかけておく必要があります。

世の中には「いちいちロックを解除するのは面倒」と、この設定をしない人がまだまだいます。特に年配の方に多い。

でも、それは家の玄関に鍵をかけずに外出するようなもので、「泥棒さん、いらっしゃい」と言っているのと同じことなのです。

○スマホはあの瞬間に失くなっている

どこかに置き忘れたり落としたり盗まれたりして、それが悪意を持った人の手に渡ってしまえば、大事な個人情報が丸ごと抜かれ、

①クレジットカードや電子マネー、キャッシュレス決済などの悪用
②SNSアカウントの乗っ取り、なりすまし利用
③国際電話や長時間通話の利用
④振り込め詐欺などの犯罪利用
⑤有料アプリの利用
⑥電話帳や連絡先などの個人情報の売却
⑦スマホ本体の転売

などなど、さまざまな犯罪やトラブルに巻き込まれる恐れがあります。ストーカーなどのきっかけになり、深刻な被害を受けることも十分に考えられるわけです。

またあなたの個人情報を狙っている人やあなたの行動を監視したい人などにとって、ロックのかかっていないスマホはかなり好都合。

あなたがスマホを置いたまま席を離れたスキなどに、中を盗み見たり監視アプリを埋め込んだりする機会を容易に与えることにもつながります。

スマホの個人情報の流出は、所有者本人が被害者になるだけでなく、家族や恋人、友人知人、さらに仕事関係にも大変な迷惑をかける恐れがあることを、強く心に刻むべきです。

そして、そんなスマホはどんな瞬間に最も紛失しているのか。

お気づきの方も多いでしょう。飲酒時です。

忘年会や新年会、歓送迎会、お花見シーズンなどの時期は、特にその数が増えます。

万が一スマホを失くしたときは、とにかく急いで心当たりを探す。**iPhoneには「iPhoneを探す」**（iOS13以降は「探す」）、**Androidには「デバイスを探す」という紛失に備えた機能がそれぞれあり、現在位置の特定や画面の遠隔ロック、データの消去などが行なえます**（データを消去すると現在位置も特定できなくなるので最後の手段です）。

どうにも見つかりそうもないときは、ただちにスマホに登録したクレジットカードや電子マネー、キャッシュレス決済などの契約会社に利用停止の連絡を入れ、警察に届け出をしましょう。利用の停止をしないと限度額いっぱいまで使われる恐れがあるからです。

また、一度スマホを失くしたら、戻ってきてもSNS等のパスワードはすべて変更すべきです。第1章のSTORY6のように、データを抜き取るだけ抜き取ったうえで警察に届けられるよう画策(かくさく)し、持ち主の油断を誘おうとするケースもあるわけです。

くれぐれも飲み会シーズンには注意をしていただきたいと思います。

○ パスワードをかけただけで安心していませんか？

スマホの守りを堅固なものにしてあなたの個人情報を保護するために、基本的なことではありますが、私は三つの対策を行なっていただくことをお願いしています。

その一つ目は、「スマホのロック(画面ロック)を見直すこと」です。

iPhoneの場合、iOS9以降の初期設定のロックは6桁の数字のPIN(Personal Identification Number＝個人を識別するための番号)コードで、4桁の数字や任意の桁数の英数字も使えます。機種によって指紋認証や顔認証も利用できます。

Androidの場合は、数字のPINコード、英数字のパスワード、指で形をなぞるパターン認証のほか、やはり機種によって指紋認証や顔認証が利用できます。

PINコードやパスワードを設定するときに一番気をつけるべきことは、他人が手にしたときにロックが簡単に解除できるような安易なものにしない、ということです。

「当たり前でしょ」と思った方、では実際に簡単ではないパスワードにしているでしょうか? 現実には「自分は大丈夫」と面倒くさがってしまう人が大多数です。

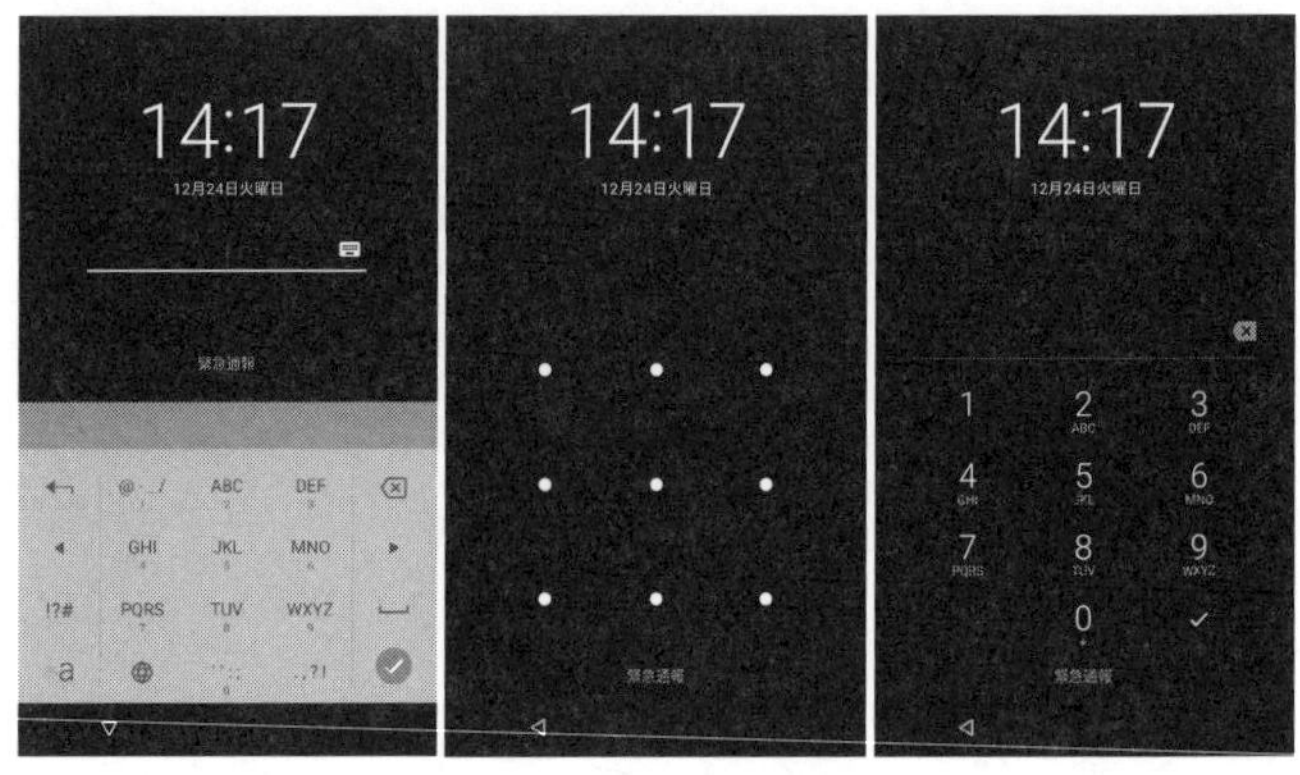

（左）英数字で開ける「パスワード」／（中）設定したルートをなぞって開ける「パターン認証」／（右）4～6桁の数字で開ける「PINコード」

たとえばセキュリティ企業のスプラッシュデータが毎年発表している「最悪のパスワード・ワースト100」（2019年版）によれば、1位から10位までは次のようになっています。

①123456
②123456789
③qwerty　※キーボードのqから右へ続けたもの
④password
⑤1234567
⑥12345678
⑦12345
⑧iloveyou

⑨　111111
⑩　123123

どれも一見して安易なものばかり。

これらや、これらに類似したものを使うのは非常に危険です。

もちろん、画面上での左から右へのスワイプ（画面に触れた状態で指を滑らせる操作）やタップ（画面を指先で1回短くタッチ）のみで開いてしまう設定は、絶対にやめたほうがいいでしょう。

○「誕生日公開」は恐怖の入口

先ほどの最悪のパスワードに付け足すと、簡単なもの以外にも、本人と関連づけて推測しやすいものは非常に危険です。しかも危ないとわかっていても多くの人がやってしまいがち。

よく自分や家族の誕生日、自宅や実家の電話番号などをＰＩＮコードやパスワード

に使う人がいますが、それらを知っている人であれば、容易に推測できます。

一時期、アイドルのＳＮＳがファンに違法ログインされたというニュースが続いたことがありましたが、これも自分の名前や生年月日にリンクしたパスワードが多かったためです。

仕事上、プロフィール公開の必要がある場合には、致し方ない面もありますが、その必要がなければ、ＳＮＳ等での誕生日公開はセキュリティ上、お勧めできません。

なお、誕生日を公開していない場合も、他人から見てあなたと結びつくような数字をパスワードやＰＩＮコードに使うのは、自分を危険に晒す行為だと自覚しましょう。

リテラシーの高い方は、それぐらい当然と思われるかもしれませんが、口を酸っぱくして基本からお伝えするのは、そうしたリスクへの意識が低い現状があるからです。

独立行政法人情報処理推進機構の調べによれば、「パスワードには誕生日など推測されやすいものを避けて設定している」とする割合は全体でも47・0％と5割にも届きません。

さらに若い世代ほどこの意識は低く、10代、20代になると、それぞれ36・6%、39・0%と4割にも満たないのが実情です（独立行政法人情報処理推進機構「2016年度情報セキュリティの脅威に対する意識調査」）。

10〜20代の実に6割以上の人が、誕生日など推測しやすいものを使っていることになるのです。

また、誕生日をパスワードに含めている場合、財布に運転免許証や保険証を入れている人はさらなる注意が必要です。

免許証や保険証には住所も名前も誕生日も記載されているので、かばんに入れたままスマホと一緒に失くしたりすれば、一発でバレて、ロックを外されてしまいます。

しかも、こういう人はキャッシュカードやクレジットカード等の暗証番号も同じにしていることが多いですから、一緒に財布に入っているカードを使って片っ端から現金を引き出されたり、不正利用されるなどして多額の金銭的被害に遭う恐れが大きい。

リスクを考えるならば、財布に免許証や保険証を入れるのはやめるべきです。

○絶対に推測されないパスワードの作り方

スマホのロックを外されてしまえば、メールや写真や連絡先などの個人情報から各種のネットサービスやSNSなどのID・パスワードも特定されると覚悟しないといけません。

スマホの中からは、家族の誕生日や自宅・実家の電話番号、愛車のナンバー、ニックネーム、ペットの名前などなどヒントになるものはいくらでも見つかりますし、そうした個人情報が悪用されれば、さらなる犯罪被害にもつながります。

こうした事態を避けるには安易な数字や英数字の組み合わせなどは避けて、なるべく複雑なパスワードやPINコードの桁数を多くして設定することです。

特に、複雑なパスワードを設定すればセキュリティ強度は格段に上がります。

ネット上でさまざまなサービスを利用する機会が増え、スマホ画面のロック以外にも、みなさんが使うパスワードの数は急増しているはずですから、その管理も含めて考えるなら、**信頼のおける利用者の多いパスワード管理アプリを利用して自動作成したほうが、自分で作るよりも安全かつ効率的にパスワードを運用できるでしょう。**

アプリのストアで「複雑なパスワードの作り方」などで検索すれば簡単にサービスを見つけることができます（パスワード管理アプリに限らず、信頼のおけない配信元からのアプリをダウンロードすると、一緒にウイルスが入ってしまうことがあるので、アプリの評判と配信元企業の信頼性をしっかりと確認しましょう）。

ただし、こうした管理アプリも、第一段階のスマホの画面ロックがしっかりしていればこそ、機能するものです。

スマホのロックが簡単なものであり、なおかつパスワード管理アプリにログインするためのマスターとなるパスワードも単純なものだと、すべてのパスワードが一覧で見られてしまうことになります。

せっかくほかのパスワードを自動作成した意味がなくなってしまいますので、まず根幹となる部分のセキュリティ強化を図りましょう。

○ 指紋・顔認証でも突破される⁉

パスワードやPINコードは面倒くさいし、指紋や顔の生体認証のほうがいいと思われる方も多いですが、生体認証に全幅の信頼を置くのは危険です。

確かに、指紋や顔などを使う生体認証は、本人固有の体の一部を使って認証するので、他人がロックを解除するのは、無理やり押さえつけるなど暴力的な手段でも使わない限り極めて困難です。

しかし、実際には第1章のSTORY4でもあったように寝ている間にスマホに指を押し当てられたら、指紋認証は簡単に解除されてしまいます。

顔認証の場合も、つい先頃、あるメーカーの最新スマホで寝顔でもロックが外れることがわかり、大問題になりました。

さらに、オランダの消費者保護機関「Consumentenbond」が110台のスマホを調査したところ、42台のスマホの顔認証ロックが、よく撮れているポートレート写真で開いてしまったことも、スロバキアのセキュリティ企業ESETによって2019年

1月に発表されています。

もちろん、今後技術は上がるはずですが、悪意を持った人間の前には生体認証も完璧とは言えないと認識しておくべきです。

○パターン認証の落とし穴

「じゃあパターン認証は?」と思われた方もいるでしょう。

Androidのパターン認証は、一筆書きで九つのポイントから四つ以上のポイントを使うもので38万9112通りあるとされ、使い方次第では脆弱（ぜいじゃく）ではありません。

ただし、やはり設定が甘い人が多いことに問題があります。

というのも、九つのポイントをフルに使っている例は少なく、そのうえ手が自然に動きやすい「Z」「L」などのアルファベット型や「1」「3」などの数字型、「コ」「レ」などのカタカナ型、それに類する単純なパターンにしている人が多いために、突破されやすいのです。

加えて、最大の問題として覗（のぞ）き見に弱い点も挙げられます。

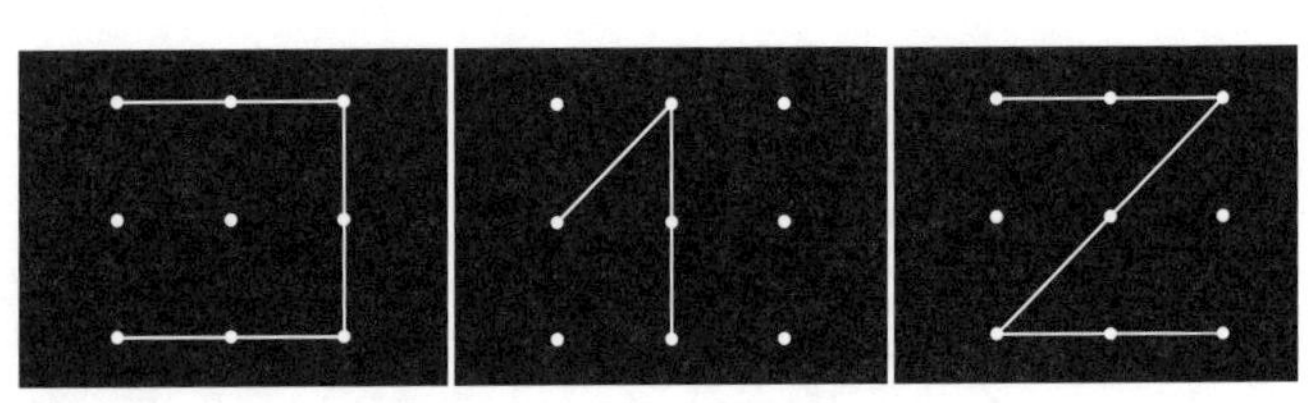

指がなぞりやすい文字型はロックを突破される危険大！

アメリカの海軍兵学校とメリーランド大学バルティモアカウンティ校の研究チームが2017年に発表した論文によると、**1・5〜2m後ろからスマホのロック解除シーンを1回覗き見た場合、6桁のPINコードの場合は10人に1人の割合でしか解除に成功しなかったのに対し、六つのポイントを使ったパターン認証の場合は3人に2人の割合で解除に成功したといいます。**

この調査をした海軍兵学校のアダム・アヴィヴ教授は、人間の脳にとってパターン認証は記憶しやすい分、安全性ではPINコードに劣る旨を述べています。

パスワードやPINコードにおいても覗き見への注意はもちろん大切ですが、パターン認証を使用している人は、最も警戒する必要があります。

電車内やカフェ、映画館などでの肩越しの覗き見（ショルダ

ーハッキング）には、十分注意してください。

どうしてもパターン認証を使用したい場合は、以下の点を考慮しましょう。

①使うポイントを八つ、九つと多くすること

②パターンをたどる際に出る線を画面に表示されないようにすること

（機種によりますが、［設定］➡［セキュリティと現在地情報］➡［画面ロックの設定］➡［パターンを表示する］のチェックを外すことで非表示になります）

③覗き見防止用のフィルムなどを利用すること

○夫婦・恋人間でパスワードや指紋を共有するリスク

スマホ画面のロックに関して、注意していただきたいことの一つには**「夫婦や恋人間でのパスワードや指紋の共有をしないこと」**というのがあります。

「えっ!?」と驚くかもしれませんが、意外とこれをやっている人はいるのです。

たとえば、セキュリティ大手のカスペルスキーと調査会社 Toluna の調べによれば、日本では全体の17％がデバイスにアクセスするためのパスワードをパートナーに教えており、16％はパートナーのデバイスに自分の指紋を登録していると回答しています。また18％の人は自分のSNS等のアカウントのパスワードも教えていました（「パートナーとの関係性とデジタルプライバシーに関するグローバル調査」２０１８年）。

パートナーへの愛と信頼の証（あかし）ということなのでしょうが、残念ながら男女の仲は必ずしも永遠ではありません。

夫婦であれ恋人同士であれ、うまくいっているときはいいのです。隠し事もなく、たとえ勝手にロックを解除されても別に困ることもないかもしれない。

でも関係が悪化し、離婚したり、別れたりすると、愛と信頼の証は、一転してリベンジ（復讐（ふくしゅう））の武器に変わる恐れがあるのです。

実際、カスペルスキーと Toluna の調べでは、全体の12％（※日本だけでなく海外も含む数字。以下同じ）が交際相手と別れた後に「復讐として相手の個人情報を公開した、

または公開したいと思った」と回答。

また回答者の31％は別れた後もＳＮＳを通して相手を監視しており、21％が「アクセス可能な相手のアカウントで相手を見張った」としています。

互いにパスワードなどを教え合っていると、こういうことが起こるのです。

たとえばこんな事件がありました。

あるカップルは付き合い始めたとき「指輪代わり」に互いのスマホやＳＮＳのパスワードを教え合いました。

でも1年ほどした頃からうまくいかなくなり、彼女から別れ話を切り出します。別れの朝に彼女は、指輪を捨てるかのようにすべてのパスワードを彼氏の知らないものに変えました。

その安心感から彼女は、別れの場所に選んだカフェで無造作にテーブルの上にスマホを置いたまま化粧室に立ちました。

彼氏はスマホを手にとるとパスワードを入力しますが、ロックは外れません。パスワードが変わったことを知った彼氏は、左手の人差し指をスマホに当ててロックを解除しました。

別れの気配が漂い始めた頃、パスワードを変えられるより前に、彼女に内緒で自分の指紋を登録していたのです。自分の指紋を左右複数の指で登録していた彼女は、それに気づきませんでした。

彼氏は変更されたSNSのパスワードを一つだけ確認すると、スマホを閉じてテーブルにそっと戻しました。パスワードは彼女の実家の犬の名前でした。**彼女は各種ネットサービスのパスワードを使いまわしていたので、一つわかれば十分でした。**

彼女と別れた後、最初のうちはSNSで監視するだけでしたが、新しい恋人ができたことを知ると、すべてのアカウントを乗っ取り、彼女の個人情報をばらまいたり、紐付けられたクレジットカード情報などで多額の商品を購入したり、彼女の友人知人に詐欺サイトへ誘導するメールを送り付けるなど、執拗な攻撃を繰り返します。

最終的には彼女が警察に被害届を出し、彼氏は詐欺や不正アクセス禁止などの罪で逮捕されましたが、そもそもパスワードを共有しなければ起こらなかった事件です。

このように夫婦や恋人間でスマホのパスワードや指紋を共有している場合は、不幸にも別れてしまった後にさまざまなトラブルが起きる可能性があります。実際に、別れる前に監視アプリなどを勝手にインストールされた事件も起きています。

最近は子どもの居場所や失くした電話を追跡するために、スマホの位置情報などを収集するアプリが増えていることが背景にあるようです。

監視アプリを相手のスマホに仕込むには、相手のスマホロックの解除が必要ですが、パスワードや指紋を共有していれば、そのチャンスはいくらでもあるはずです。

パスワードや指紋を共有していた場合は、別れる前にスマホに何をされているかわからないので、すべてのパスワードを変更するだけでなく、必要なデータをバックアップしたうえでスマホを初期化し、その後でデータを戻すのが安全かもしれません。

なお、SNSやショッピングサイトなど、各種ネットサービスで必要になるIDとパスワードは絶対に使いまわしをしないことです。

先の彼女のケースのように、一つバレたら全部のアカウントにログインできてしまうからです。乗っ取られたら被害を受けるのは確実です。

一般に乗っ取られるアカウントの多くは、まったく使っていない、それこそ存在すら忘れてしまっている幽霊アカウントです。

ログインしないので乗っ取られたことすら気づかない。ゾンビ化した放置アカウントは削除するのが一番です。

使いまわしをしないでアカウントごとにパスワードを設定するとどうしても数が増えます。先ほど登場したパスワード管理アプリや、パスワード管理専用のメモ帳などを上手に使って管理するようにしましょう。

○ SIMカードをロックする

スマホを守るための三つの基本対策。一つ目の「スマホの画面ロックの見直し」が少々長くなりましたが、二つ目にいきましょう。

二つ目のポイントは、「SIMカードをロックすること」です。

スマホに慣れている人でもSIMカードにパスワードを設定している人は少ないのでいますぐ確認を！

ＳＩＭカードとは、スマホに装着されているＩＣカードのことで、その中には契約者の識別番号や電話番号などの情報が記録されています。

どれほど複雑なＰＩＮやパスワード、指紋や顔認証などでスマホ画面にロックをかけていたとしても、このＳＩＭカードにロックがかかっていなければ、別のスマホに差し替えるだけで、契約者になりすまして電話やインターネットが利用できてしまいます。

あなたの契約した回線は犯人のスマホに置き換わり、本来、あなたのスマホに届くはずの各種の通知も犯人のスマホに送られるようになります。

たとえば、各種のネットサービスの中には二段階認証でスマホの電話番号を本人確認の手段にしているものが多く、電話番号宛てにSMS（ショートメッセージ）で送られてくる認証コードでログインしたり、パスワードのリセットまで行なえる場合もあります。

これはSMS認証と呼ばれるもので、パスワードで一度目の認証をした後にSMSでスマホに届く数字や文字列を入力したり、URLをタップすることで二度目の認証を行なうものです。

SMSで届く数字などは認証コードと呼ばれ、電話番号に紐付いたスマホに送られるので、SIMカードが盗まれて別のスマホに差し替えられてしまうと、認証コードもそのスマホに送信されてしまいます。

このためロックのかかっていないSIMカードを盗まれてしまうと、振り込め詐欺などに利用されるだけでなく、SNSやショッピングサイトなどのアカウントが乗っ

取られ、大切なお金や情報が盗まれるなど大変な痛手を被る恐れがあるのです。

こうした不正利用を防ぐのに有効なのがSIMカードのロックで、iPhoneでは「SIM PIN」、Androidでは「SIMカードロック」といいます。

○iPhoneの場合

［設定］➡［モバイル通信］➡［SIM PIN］➡「SIM PIN」をオン

○Androidの場合

［設定］➡［セキュリティと位置情報］➡［SIMカードロック］➡［SIMカードロック］をオン

（※機種やバージョンによって若干の違いがあります）

ここまで設定を進めると、SIMカードをロックするための暗証番号の入力を求められます（これはスマホを再起動した際やSIMカードを別のスマホに移した際に入力する番号であり、正しく入力しないと電話もネットも利用できなくなります）。

初めて設定する際には、この暗証番号はキャリアや格安ＳＩＭ提供業者の定めた初期値を入力してください。

キャリアの場合は、その初期値はＮＴＴドコモ＝００００、ａｕ＝１２３４、ソフトバンク＝９９９９です。格安ＳＩＭ業者の場合は、基本的に回線元のキャリアと同じ初期値が設定されています。念のためキャリアや格安ＳＩＭ業者のホームページやサポート窓口で必ず確認してください。

初期値を入力したら、これを他人にわからない暗証番号に変更します（初期値はキャリアなどが公表しているので、そのままではすぐにロックを解除されてしまいます）。

まずは初期値で設定したうえで任意の番号に変更してください。

この場合も、誕生日や電話番号のようにあなたを知っている人物なら容易に推測できるものは避けるようにしましょう。

「スマホを守るにはＳＩＭカードをロックしたほうがいいことは知っていても、再起動したときなどにいちいち暗証番号を入れてロックを解除するのが面倒……」

そういう声をよく耳にします。確かに手間がかかるので気持ちはわかります。でも悪意のある人間にＳＩＭカードを盗まれてひどい目に遭うことを考えたら、保険としての安心感は大きい。

もし盗まれたとしても、ＳＩＭカードのロックを解除する暗証番号がわからなければ、犯人はあなたの契約している回線を利用できません。転ばぬ先の杖(つえ)です。

なお、ＳＩＭ ＰＩＮやＳＩＭカードロックの暗証番号を3回続けて間違えると、ＰＩＮロックの解除コードを入力しないとロックが解除できなくなります。解除コードがわからない場合は、キャリアなどに問い合わせて入手する必要があります。

ＳＩＭカードのロックの暗証番号は、それこそ忘れると大変面倒なことになるので、パスワード管理専用のメモ帳などに記入してしっかり管理するようにしてください。

○ロック画面に通知を表示させない

スマホの本体やＳＩＭカードにロックをかけても、ロック画面にLINEやメール、ＳＭＳなどのメッセージが表示される設定だと、大事な個人情報を覗き見される恐れがあります。

スマホを守るための三つ目のポイントはこの「プッシュ通知への対策」です。

先日、大手チェーンのカフェで仕事をしていたときのことです。

１人の女性が隣のテーブルにスマホをポンと置いて飲み物を注文しにカウンターへ向かいました。場所取りにスマホを使ったわけです。

直後、テーブルに置かれたそのスマホのロック画面に着信メッセージが表示されました。覗き見るようなことはしませんでしたが、その気になれば見えたでしょう。

危ないなあ、と心配になりました。

ロック画面に各種の通知を表示するようにしておけば、ロックを解除しなくても内容が確認できるのでとても便利ですが、反面、個人情報の漏洩リスクも高くなります。**特に注意が必要なのは、二段階認証でSMSに送られてくる認証コードのような重要な通知です。**

もしSMS認証のコードがロック画面に無防備に表示され、それをあなたのスマホの電話番号を知っている誰かに覗き見られたとしたら、その誰かはあなたになりすましてそのサービスを利用したり、アカウントを乗っ取ってしまうかもしれません。

このリスクを回避するには、ロック画面にメッセージ内容が表示されないようにすることです。機種やバージョンによっても異なりますが、ロック画面に表示される通知は、スマホの「設定」のアイコンをタップすると、通知に関する項目が出てきます。**すべての通知をオフにすることも可能ですし、個々のアプリごとに表示するかどうかの設定もできますので、どうしても必要なもの以外は表示しない設定にしたほうが、安全性を高めてリスクを減らすことができます。**

SNSで自滅する人がやっていること

娘さん、息子さんは大丈夫ですか?

スマホには個人情報がぎっしりと詰まっています。他人の目に触れないようにするには、これまで見てきたような方法で他人から見られないようにする必要があります。

しかしいくらスマホのロック等を強化しても、あなた自身が自分の情報を外部に漏らしてしまえば意味がありません。

ここからはSNSの利用にともなう個人情報の流出と、それを防ぐ方法について考えてみたいと思います。

SNSで個人情報の流出が最も心配されるのは10代の中高生です。

スマホの利用率は中学生で70・6％、高校生では97・5％（内閣府「平成30年度 青少年のインターネット利用環境実態調査」2019年）。

また10代のＳＮＳの利用率は、LINE 88・7％、Twitter 66・7％、Instagram 58・2％、TikTok 39・0％、Facebook 17・0％となっています（総務省情報通信政策研究所「平成30年度 情報通信メディアの利用時間と情報行動に関する調査報告書」2019年9月）。

中学生では7割、高校生ではほぼすべての生徒がスマホを利用し、その多くがLINEやTwitter、Instagram、TikTokなどのSNSをやっていることがわかります。

では、ＳＮＳを通じた情報公開について、彼らはどのような意識を持っているのでしょうか。

これに関しては日本スマートフォンセキュリティ協会の「中高生スマホ利用傾向調査レポート」（2019年2月版）に興味深いデータがあります。

中学3年生から高校3年生までの男女に個人情報の公開範囲についてたずねているもので、たとえば自分の顔写真については、以下のようになっています。

●「SNS経由で誰にも知られたくない」は男性59・2%、女性36・5%
●「SNSでつながっている一部の友達ならよい」は男性20・6%、女性36・4%
●「SNSでつながっている友達ならよい」は男性7・9%、女性17・3%

加えて、このレポートでは、男女ともに学年が上がるにつれて自分の顔写真公開への心理的抵抗が少なくなる傾向も指摘しており、自分の顔写真をSNS経由で誰にも知られたくない中学3年生男子が64%なのに対して高校3年生男子は53%、中学3年生女子が45%なのに対して高校3年生女子は38%となっています。

なお、この傾向は顔写真のみではなく、本名や誕生日などについても同様で、性別比では、男性より女性のほうが情報公開へのハードルが低いのが実態です。

私もSNSの世界を見ていると、この状況を実感します。鍵をかけていない女子高生のSNSアカウントがかなり目立ちますし、「#女子高生」で画像を検索すれば、大量の自撮り写真などがヒットします。

また、実名のアカウントではとてもできないような濃厚な投稿を匿名（とくめい）のアカウントで行なう「裏垢（うらあか）女子」や、家出をして泊めてくれる人を探す「家出少女」「神待ち」をする女子中高生も見受けられます。

試しに「#裏垢女子」「#家出少女」「#神待ち」で検索をすれば、きわどい発言や危（あや）うい写真を投稿するアカウントが大量に見つかるはずです**（こうしたアカウントは、出会い系や副業詐欺などを目的とした業者がやっているケースもかなりあります。安易に近づくと未成年者誘拐で逮捕されるか、反対に自分が犯罪に巻き込まれる危険性が高いでしょう）。**

ネットに対する安易な態度はとても危険です。

さすがに最近では住所や電話番号までSNSに載せる人はほとんどいなくなりましたが、ではそれで個人情報が漏れないかというとそんなことはありません。**よからぬ考えを持つ人間がその気になって見れば、本名や学校、自宅所在地などを簡単に類推できるような写真や書き込みが次々に見つかります。**

SNSへのそうした投稿は、言ってみれば、自分の個人情報をベタベタと貼り付け

無意識に個人情報を
投稿していませんか？

たプラカードを持って、渋谷のスクランブル交差点に立っているようなものです。

しかもそれは実際には、渋谷の街中だけではなく、ネットで世界中の人の目に触れる可能性がある。それをやれと言われたら、実際にあなたはできますか？

抵抗のある人がほとんどでしょう。**しかし、実は多くの人が自覚のないままに、SNSではその恐ろしいことをやっているのです。**

○その気軽な投稿、個人情報がいっぱい！

SNSで個人情報を自ら晒して犯罪に巻き込まれてしまう——これは、先ほどの意識調査の結果通り、中高生を始めとした若い世代が最も目立ちます。

第1章のSTORY1では、親の投稿が原因で子どもが被害に遭う例を取り上げましたが、**SNSにより慣れているはずの子ども自身の投稿もかなり危ういものが目立ちます。**


私の知るケースでも、女子高生が自宅で撮った制服の自撮り写真を、鍵をかけていないTwitterにアップしたところ、その1枚の写真をきっかけに自宅まで割り出され、ストーカー被害に遭った例がありました。

そこでは、最初に次ページのような投稿をした結果、以下のような流れのことが起きていました。

①本人の知らぬ間に、かわいい女子高生の画像を集めたまとめサイトに転載
←
②そこで興味を持った男が検索を開始

ツイート
あやか
@ayayayaya0425
明日から夏期講習
不安だからとりあえず神社でお守り買ってみたー
返信をツイート

↓

③制服のリボンの色や縞(しま)模様の特徴をチェック。検索をかけて全国の高校の制服をまとめたサイトから似ているものをリストアップ

↓

④写真左側のお守りが、関東地方の某県にある有名な神社のものであることが判明。居住地もその県ではないかと推測

↓

⑤さらに写真右側の背景に写り込んだものは大学の過去問と特定。都内の某大学志望であることを把握

↓

⑥お守りを買った神社の情報から、高校をさらに数校に絞り込み

↓

⑦今度はTwitterの別の過去投稿を調べ、友人とのリプライのやりとりから、彼女の名前、通っている塾の名前、飼い犬の名前、彼氏がいないことを把握

⑧「●●線止まった😂😂」という平日の投稿を見つけて通学路線を特定。

←

その沿線に彼女のような制服の高校は1校しかないため、学校を某県立高校と確定し、毎朝使用している学校の最寄り駅も自動的に判明

←

⑨「部屋から見える夕焼け✨」という風景写真とともにアップされた投稿に着目。写真に写り込んだゴルフ練習場のネット（ゴルフ練習場は数が少ないので場所を特定しやすい）から、彼女が利用する電車の沿線にあるゴルフ練習場を検索。日の沈む西の方角にゴルフ練習場が見えることから、彼女の自宅の場所の範囲に当たりをつける

←

⑩「塾帰りにコーヒー買ってみた。最近飲めるようになったー♥」という写真に写り込んだ大手コンビニの看板に書かれている文字から「●●3丁目店」と店名を特定。生活圏を一気に絞り込み

ツイート
あやか
@ayayayaya0425
部屋から見える夕焼け
返信をツイート

ツイート
あやか
@ayayayaya0425
塾帰りにコーヒー買ってみた。
最近飲めるようになったー
返信をツイート

⑪「雷やばい😂😂家の近くに落ちたと思ったらいきなり停電」という投稿を見つけて、電力会社のホームページからその投稿の日に停電のあったエリアの情報を確認。⑩までの情報と照合し、さらに範囲を狭める

←

⑫「歯痛くて隣の歯医者さんに行ってきた😖😖」という投稿から、⑪の停電エリア内にある歯医者を検索。対象となり得るのは2軒しかないことが判明

←

⑬「裏のマンションで火事。怖い」という投稿を見つけ、これまで絞り込んできた情報をかけ合わせて、「#●●市●●町」「#マンション」「#火事」などをＳＮＳ検索。すると写真付きでマンション名がヒット

←

⑭このマンション名をネットで検索、「●●市●●町●丁目●番」と住所も特定。候補に挙がっていた2軒の歯医者のうち一つがそのマンションと背中合わせであるこ

とも確認

↓

⑮彼女の家は「歯医者の隣」なので、グーグルマップに歯科医院の住所を入力。ストリートビューで両隣をチェックし、左隣の一軒家の表札から彼女の名字を発見

こうしてSNSとネットだけで彼女の自宅を突き止めた男は、彼女の監視を本格的に開始。ある日、Twitterで「これから図書館で勉強」という投稿を見つけて居場所を確認すると、偶然を装い初めて接触します。

以後数カ月後に逮捕されるまで、一方的に執拗なストーカー行為に及んだのでした。

このケースでは、

①SNSのアカウントに鍵をかけていなかった

②そのアカウントで自撮り写真や個人の特定につながる情報を投稿した

この二つのことが男のストーカー行為の引き金になりました。

まず、そもそもアカウントに鍵をかけていれば、彼女の写真がおかしなサイトに転載される可能性は大幅に減ったはずです。

その後の個人情報の漏洩やストーカー被害もなかった可能性が高いでしょう（ただし、見ず知らずの人からのフォローを許していれば、鍵をかけていても危険に晒されていることに変わりはありません。また、投稿内容をダウンロードやスクリーンショットした友達が転載すれば、鍵をかけていない状態と同様の危険があります）。

さらに言えば、アカウントの鍵のみならず投稿する写真や動画に写り込むものへの警戒度も上げなくてはいけません。

近年、中高生はTwitterよりも、InstagramやTikTokに移行しているとも言われていますが、**その分、Twitter以上にInstagramやTikTokにおいて、不用心な投稿が多く見られます。**

これらのＳＮＳに投稿されている画像は、高校名や学園祭・体育祭のハッシュタグ、地元のお祭り、イルミネーション、飲食店の写真等々から、容易に生活圏を割り出せるものが少なくありません。中には特定するまでもなく丸わかりのものさえあります。

最近は、SNSで話題になった少女が芸能界デビューするようなケースもあり、中高生がアイドルのようにこぞって鍵をかけずに写真や動画をアップしています。

しかし、活躍するアイドルとの違いは危機意識です。中高生の投稿に無防備なものが目立つのに対し、アイドルの投稿は危険がないかどうかを事務所が管理しています。もし、SNSを使って人気を得たいと考えるのならば、それに見合う警戒心も持っていただきたい。そうでなければ、夢を食い物にされてしまうこともあり得るのです。

SNSは一気に世の中に拡散させられる分、諸刃(もろは)の剣(つるぎ)であることもよく意識して、安全と危険の境目を十分に見極めましょう。

○ 情報を隠したつもり……でも危険はまだある

つい先頃、アイドル活動をしている女性を襲って逮捕された男が、**SNSに投稿さ**

れた自撮り写真の瞳に映った景色を手がかりに女性の住所を特定していたことがわかり世間に衝撃が走りました。

最近のスマホはカメラの性能がものすごくいいですから、驚くほど高解像度で写ります。**動画を撮影した場合も、たとえば隅に一瞬写った電信柱やマンホールなどから住所を特定されてしまうこともあるわけです。**

自撮りでよくやるピースサインも写った指の指紋を画像処理し、凹凸を再現すれば、偽の指紋を作ることが技術的には可能であると、新聞でも報道されています（『東京新聞』2019年10月10日朝刊「特報面」）。

SNSを安心して利用するには、自分のみならず家族まで含めて、プライベートな情報はみだりに発信しないことです。

「本人とわからないように顔をスタンプで隠せば大丈夫なのでは？」

そう言う人もいますが、答えは「NO！」。

悪意を持った人は、わずかな痕跡（こんせき）からでも対象者のプライバシーに近づく情報がないかとくまなく探っています。いくらスタンプで顔を隠していても、自分が気づかないだけで、鏡や窓、磨き上げられたテーブルから鍋料理の水面に至るまで、さまざまな情報が反射したり写り込んだりしている可能性はあるわけです。

ですから、リスク回避のために最低限、

①画質やサイズを落とす
②背景にぼかしを入れる

などの安全対策を行ない、たとえ個人の特定につながるような情報が写っていたとしても読み取れないようにするのが大事なポイントです。

○「いいね！」までチェックされていると思ったほうがいい

特に学生のＳＮＳ投稿について、さらに一つ付け加えておきたいことがあります。

それが「いいね！」に潜んでいる危険性についてです。

たとえば、かわいい女の子を探しているような男が、ある女子高生の写真をInstagramで見つけてかわいいと思ったとします。その子はアカウントに鍵をかけておらず、アップされている写真は自由に見られます。

しばらくすると、男はただ写真を見るだけでは飽き足らず、どんな子でどこに住んでいる子なのかなど、プロフィール欄を見始めました。

しかし、多くの人に見てほしいものの、用心深さも併せ持っていたその女の子のプロフィールには、傍から見て何かがわかるような書き方はしていません。

投稿されている写真も、制服や学校の写真はなく、私服のプリクラ写真のみ。

その子発信で個人を特定していけるような情報はありませんでした。

ところが、男はまだあきらめません。

女の子がアップした写真には「いいね！」がたくさんついていました。その「いいね！」をした一人ひとりのページに飛んではプロフィールを確認し始めたのです。次第に制服や学校指定のジャージ写真をアップしている子、学校の略称を投稿文に

入れている子などが複数見つかり、その子に「いいね！」をした人の多くが同じ高校の生徒であることがわかりました。ここで男は、対象の女の子の高校を把握します。

そのうえ、その友達の多くは投稿に「#sjk」と入れていました。ネットで検索をすればすぐわかりますが、「s」はセカンドを表わし、高校2年の女子高生を意味します。これで学年まで判明します。

続けて、男はもっとヒントはないかと対象の女の子のページに戻り、過去の写真を遡（さかのぼ）っていくと、**友達からの「まなみはほんといつもかわいい♥」というコメントを見つけました。これで下の名前までわかりました。**

——いかがでしょうか。自分ではコントロールしきれないことであるのはもちろんですが、自分自身が個人情報の流出を気にかけていても、周りの友人知人のセキュリティが甘ければ、ある程度の情報は部外者でもつかめてしまいます。

特に「いいね！」をする人の層が単一なものになりやすく、学校の場所と自宅の場所がそれほど離れていない中高生は、どうしても特定しやすい。

だからこそ、これまでも繰り返していますが、まずはアカウントに鍵をかけて非公開にしていただきたい。**そうすれば、男がその女の子の投稿を見ることはできず、「いいね！」から友達のページにたどりつくこともなかったのです。**

また、ＳＮＳには若者の間だけで通じるような隠語がハッシュタグを付けて多く使われていますが、中には先ほどの「＃ｓｊｋ」のように検索をすればすぐわかり、結果的に個人情報を公開しているのと変わらないものも見られます。

自分たちだけの共通語のつもりが、悪意ある人間へのおいしい情報提供になっている可能性がある――その点も親は子どもに教えてあげてほしいと思います。

○「子どもの写真」のアップで「デジタル誘拐」発生

数年前、ある野球強豪校の部員たちが最後の夏の大事な試合に負けた後、寮で泣きながらみんなで歌い、上半身裸で抱き合う動画をＳＮＳに投稿したところ、いまだに拡散を続けています。

運動系の部活経験者にとってはよくある感動の一場面ですが、見る人によっては涙で抱き合う若い青年の肉体美は、大変なお宝動画と映ったようです。

まさに完全に消すことのできない「デジタルタトゥー」となってしまった例です。

写真や動画などの情報は、投稿者の思いとはまるで違う受け止め方をされる場合があります。その意味で親世代がSNSを利用する際、より一層の注意を払うべきは幼い子どもの写真を投稿することです。


「わが子のかわいい姿を多くの人に見てほしい」

「日々成長する姿を日記代わりに記録しておきたい」

SNSにはそんな理由から、幼い子どもの写真がたくさん投稿されています。

しかし、世の中には幼い子どもに特別な感情を抱く人たちがいるのも事実です。

女子学生へのSNS犯罪がクローズアップされるいま、そちらへの警戒意識を持つ方は増えつつありますが、幼いわが子の写真の無警戒なアップは、いまだにFacebook、Instagramでよく見られます。

そうした投稿には、

①親や子どもの個人情報が特定されてしまう
②他人が子どもの親になりすます「デジタル誘拐」に遭う
③幼児性愛者の画像コレクションにされる
④幼児ポルノのサイトに無断転載される
⑤ストーカー被害に遭う
⑥誘拐される
⑦親への嫉妬（しっと）や恨（うら）みのはけ口に利用される

というようなリスクが潜んでいることを意識すべきです。

①の個人情報については、前にもお伝えした通り、顔にスタンプを入れようが名前を隠そうが、さまざまな情報が写り込んでいる可能性があります。

完璧と思っていても、思わぬところから親や子どもの名前、通っている幼稚園や保育園、学校などが特定されてしまう恐れがあるのです。

②については、**赤の他人がネット上にある子どもの写真を、勝手に自分の子どもと偽って**（いつわ）**SNSなどに投稿することを「デジタル誘拐」といいます。**

「デジタル誘拐犯」の目的は、かわいい子どもの写真を投稿することで「かわいい」のコメントや「いいね！」をたくさんもらうことです。

しかし、このデジタル誘拐犯がもし何かの罪を犯したり、炎上したりすると、実際には赤の他人であるにもかかわらず、デジタル誘拐された子どもが、その誘拐犯の実の子どもとしてネットで晒される恐れがあります。

また、幼児性愛者は世界中にいます。**一度写真を投稿すれば、コレクションにされたり、幼児ポルノのサイトに転載されるなど、③④の被害を受けて世界中に拡散してしまう恐れがあります。**

しかも、そうした性癖の人物に自宅や通園先などを特定されると、⑤のようにつけまわされたり、性的な被害に遭う可能性もあり、親がセレブな印象のSNSをしていれば、⑥のように子どもが身代金目的の誘拐のターゲットにされかねません。

加えて言えば、人間誰しもいつどこで誰の恨みを買うかわからないものです。

たとえば有名小学校へのお受験に失敗した親が、投稿写真の子どもがその学校に通っていることを知れば、⑦のように妬みから裏口入学の話をでっちあげて誹謗中傷したり、ポルノサイトに転載したり、卑猥なコラージュ画像を作成してネットにばらまくなどの嫌がらせをしないとも限らないわけです。

では、こうしたSNSへの子どもの写真投稿に潜むリスクを避けるにはどうすればいいのでしょうか。

一番の対策は、子どもの写真をネットにアップしないことです。SNSに投稿しない。そうすれば、これらのリスクは避けることができます。

どうしても投稿したい場合は二つの点に注意することです。

一つは、子どもの顔を隠すのはもちろん、サイズや画質を落としたり背景をぼかすなどして、個人の特定につながる可能性のある情報が写り込んでいたとしても見えな

いようにすること。友人知人の子どもの写真を投稿する際にも同様の配慮が必要です。もう一つは、公開範囲を信頼できる友達までに制限すること。この前提として、実際に会ったことのある友人知人以外は、友達の許可をしないことも大事です。それでも流出する可能性はありますが、無制限で投稿するよりはずっとリスクが減ります。

いずれにしろ一度ネットに拡散してしまった写真は、すべて削除するのは不可能です。**子どもが大きくなったとき、自分の幼い頃の写真がネットのいかがわしいサイトなどにあるのを知ったら、どれだけ傷つき、悲しい思いをするでしょうか。**

SNSに子どもの写真を投稿する際は、デジタルタトゥーの悲劇を一生わが子に背負わせることのないように、くれぐれも注意してください。

○すべてのSNSが、位置情報を削除してくれているわけではない

ネットに写真をあげる場合には「位置情報」にも注意する必要があります。

スマホの初期設定の状態では、iPhone、Androidともに「イグジフ（Exif）」といっ

て、以下のような情報が埋め込まれています。

- **いつ撮影したか**
- **何のカメラで撮影したか**
- **どういう設定で撮影したか（絞りやシャッタースピードなど）**
- **著作権情報（デバイスに登録された撮影者の名前）**
- **位置情報（緯度・経度・標高・方角など）**

位置情報はジオタグ（Geotag）と呼ばれ、自宅で撮った自撮り写真や風景写真などをネットにあげる場合は要注意。

投稿先の仕様によっては、埋め込まれた位置情報から自宅等の住所がわかってしまう恐れがあります。

幸い、LINE、Twitter、Facebook、Instagramの4大ＳＮＳの場合は、投稿時に位置情報が自動的に削除される仕様なので、この点に関しては安心です。

ただし、マイナーなSNSやブログなどに写真をアップする場合は、現在でもその限りではありません。

デフォルトの初期設定のまま自宅で撮った写真をブログなどに載せると、住所が一発でわかってしまうケースもあるので注意が必要です。

そこでネットに写真を投稿する機会のある人は、以下の手順によって、最初からスマホのカメラの位置情報設定をオフにするようにしましょう。

○iPhoneの場合

［設定］➡［プライバシー］➡［位置情報サービス］➡［カメラ］➡［許可しない］

○Androidの場合

［設定］➡［ロック画面とセキュリティ］➡［位置情報］➡［アプリレベルの権限］➡［カメラ］をオフ

（※機種やバージョンによって若干の違いがあります）

○ 1分単位であなたの行動は記録されている

位置情報の話が出たのでSNSとは少しそれますが、関連したトピックを一つ。

いまやスマホ生活に欠かせないグーグルマップ。地図を見たり、目的地まで道案内してくれたりと、日々お世話になっている人も多いはずです。

では、そのグーグルマップに「タイムライン」という機能があるのはご存じですか？

そうたずねると、意外と知らない人が少なくないのです。

これは自分が訪れた場所や日付、1分単位での滞在時間のほか、移動の経路や時間、距離などが記録されるもので、スマホにグーグルマップのアプリをインストールして、「位置情報」と「ロケーション履歴」を有効にすれば誰でも利用できます。

ところがスマホやアプリにあまり詳しくない人は、普段グーグルマップを使っていても、タイムラインが設定されていることを知らず、自分でもよくわからないうちに

とある日の編集者のグーグルタイムライン。分単位で滞在場所から移動手段まで記録されている

日々の行動が記録されていて驚くケースも多いようです。

先日もある人の承諾を得て、スマホのグーグルマップのタイムラインの設定を確認させてもらったら、やはり本人は行動履歴が記録されていることを知らず、「えっ、これ、毎日の動きが全部残ってるんですか⁉　いつどこへどんなルートで行ってどれだけいたか、全部わかっちゃうじゃないですか⁉」と衝撃を受けていました。「オレ、こんな設定をしたかなあ」と首を傾(かし)げながら。

グーグルマップのタイムラインは、スマホユーザーの行動を丸ごと記録し、保存できるため、自分の行動を思い返したりする際にはとても便利ですが、一方でそれを誰かに見られてしまうと、滞在先や動きが全部バレてしまうという怖い面もあります。

実際、多くの人が利用しているアプリのため、監視アプリを仕込むより手軽で、パートナーの行動をチェックするために秘かに利用されるケースが少なくないようです。

最大のハードルはパートナーのスマホの画面ロックの解除ですが、夫婦や恋人であれば、前述の通りロックを外すのは決して難しくないのが実情です。

あとは怪しいと感じた日に、どこに行っていたのか、タイムラインの履歴を確認するだけです。

これを読んでいて、利用する便利さよりも怖さを感じた人は、「位置情報」と「ロケーション履歴」を無効にし、タイムラインに記録されないように設定を改めましょう。

ちなみにこのサービスを利用して恋人の行動を監視しようと思ったあなた、もし相手がスマホに詳しい場合は、この方法はおそらく成功しません。

そういう人は、初めからタイムラインで足がつくような設定上のヘマはしないので、仮にあなたがこっそり設定をしたとしても、すぐ異変に気づかれて履歴を削除され、むしろあなたを警戒するに違いないからです。

またパートナーに無断でグーグルマップのアプリをインストールすれば、不正指令電磁的記録供用罪、タイムラインの履歴を許可なく閲覧(えつらん)した場合は不正アクセス禁止法に触れる恐れがあります。

スマホを失くした際には便利な「位置情報」設定ですが、反面その位置情報は手軽に第三者からも見られかねない、という怖さも併せ持っていることを理解しましょう。

○ 鍵アカウントなら炎上しない、はウソ

SNSで個人情報の漏洩を防ぐには、投稿内容に十分に注意する必要があるのはこれまで述べてきた通りです。

そして特に気をつけたいことは、第1章のSTORY5でも登場したような「不適切な言動とそれにともなう画像、動画の投稿」です。

ここ数年、Instagram や TikTok の投稿動画で炎上するケースが本当に増えました。アルバイトによる不適切動画が炎上するケースも多いことから「バカスタグラム」や「バイトテロ」なる言葉まで生まれました。

たとえば2019年の前半だけでも次のようなバイトテロ事件が起きています。

- **ゴミ箱に入れた魚の切り身をまな板に載せる**（大手寿司チェーン店）

- 唐揚げを床に擦りつけてからフライヤーに入れる（大手カラオケチェーン店）
- おでんを口に入れて鍋に吐き出す（大手コンビニチェーン店）
- 客の買った商品を舐めてからレジ袋に入れる（大手コンビニチェーン店）
- 片手でピザを食べながら客に出すピザを調理する（大手ピザチェーン店）
- 調理中に鍋の炎でタバコに火をつける（大手外食チェーン店）
- おぼんで局部を隠し、裸芸をする芸人のモノマネをする（大手外食チェーン店）
- 宅配サービス中のバイクが信号を無視する（大手ファストフードチェーン店）

なぜ、彼らはこんなバカげた動画を撮ってSNSに投稿するのでしょうか。

よく言われているのは、SNSで「話題になりたい」「注目されたい」「バズりたい」という心理です。バズるというのはネットで爆発的に話題が拡散されることを言います。世間ウケを狙って過激な投稿をして炎上するパターンと言えます。

一方であくまで仲間内のウケ狙いで投稿した悪ふざけの動画などが、本人の意図とは別に広く拡散してしまい炎上するケースもあります。

Instagram のストーリー動画による炎上などに多く、そこには、

- **匿名による投稿という安心感**
- **公開制限で見るのは友達だけという安心感**
- **ストーリー動画は24時間で消えるという安心感**

などがあるとされています。

しかしそれらの安心感は、単なる勘違いにすぎません。

炎上すればすぐに個人は特定されますし、いくら友達限定の公開設定でも誰かが別の友達にまわしてしまえば、公開の制限など簡単に超えてしまいます。

Instagram のストーリー動画は24時間で消えますが、スクリーンショットや画面録画で保存ができるので、結局、炎上するようなインパクトのある動画はどんどん広まってしまうのです。

こうした炎上事件から見えてくるのは、次の二つの点です。

①SNSは公（おおやけ）の場所という認識の欠如
②他人に認められたいという承認欲求の強さ

現実の世界で、人の迷惑も考えずにふざけたことをしたり、法律に違反するようなことをすれば、必ず批判をされますし、場合によっては警察に逮捕されます。

これはネットやSNSの世界でもまったく同じです。

ところが、炎上事件を起こすような人たちは、SNSは現実の世界と同じ公の場所であるという理解が著（いちじる）しく欠けてしまっている。それどころか中には、内輪だけのコミュニティーだと勘違いしている人さえいます。

現実世界でやってはいけないことは、SNS空間でもやってはいけない——。**これはSNSなどのネット利用の大原則です。**それがわかっていない。だから、一般常識では到底理解できないようなふざけた動画を撮り、SNSに投稿できてしまう。

「フォロワーは友達だけだし、バレないから別に大丈夫」

そう思っているのです。

彼らだって世間で不適切動画が叩かれているのは知っているはずです。

それでもやるのは「自分は大丈夫」という根拠のない正常性バイアス（自分にとって都合の悪い情報を無視したり、過少評価してしまう特性）**が働いているのかもしれません。**

この①の誤ったSNSの理解には、さらに②の他人に認められたいという承認欲求が加わります。これは一言で言えば、「いいね！」がたくさんほしいという心理です。

SNSをやっている人は、程度の差こそあれ、誰しも自分の投稿にどれだけ「いいね！」がつくか気にはなるでしょう。

しかしだからといって、そのために過激な動画まで撮って投稿したいとは思わない。

それが普通です。

ところが「いいね！」ほしさが高じるとそのタガが外れてしまう。

炎上事件を起こしたある青年は、**「最初は軽いノリでちょっとふざけた動画を投稿**

したらウケたので、もっとウケる動画を撮ろうと思ってエスカレートしてしまった」

と述べていました。

「いいね！」をもらうために次第に内容が過激になったことがわかります。

不適切動画による炎上は、誤ったSNSへの理解と、自己承認欲求に翻弄(ほんろう)された結果の惨事(さんじ)なのです。

○ 不適切投稿の代償は、一生もの

SNSを利用する際に忘れてはならないのは、ネットの拡散力です。

たとえば、あなたのSNSにフォロワーが100人いるとします。

その100人のフォロワーにもそれぞれ100人のフォロワーがいて、そこまであなたの投稿が見られる設定であったとすれば、それだけで100人×100人＝1万人に拡散するわけです。

しかも、実際にはスクリーンショットや画面保存などで、公開の範囲を超えて投稿は拡散します。特にTwitterは拡散力が強く、炎上のきっかけになることが多いとされています。

匿名利用が多いことから、現実世界では口にできないような悪意のある書き込みが殺到するのです。

独立行政法人情報処理推進機構の調べによれば、全体の18・3%の人が他人の発言を批判したり、他人や企業の悪口を言うなどの「悪意のある投稿」をしたことがあると答えています。

その理由としては「人の意見に反論したかったから」(29・1%)、「人の投稿やコメントを見て不快になったから」(27・8%)、「人の意見を非難・批評するため」(24・1%)、「イライラしたから」(23・9%)などを挙げています(独立行政法人情報処理推進機構セキュリティセンター「2018年度 情報セキュリティの倫理に対する意識調査」)。

文化庁の発表では、炎上に関与するのはネット人口の約3%と推定しています(文化庁「平成28年度 国語に関する世論調査」2017年9月)。

この数字は一見少なく感じられますが、総務省の調査によれば、日本のネット人口

は1億84万人です（総務省「平成29年版 情報通信白書」2017年7月）。**その3％となれば約300万人になります。不適切動画の投稿などで炎上すると、これだけの膨大な数の人たちが事件に群がってくるのです。**

しかも激しいバッシングが行なわれるだけなく、動画に映る人物の個人情報も根こそぎ洗い出し、晒していきます。

第1章のSTORY5でも不適切投稿をした少年の個人情報が次々に暴かれていきましたが、**炎上が起きると「特定班」「特定屋」「晒し屋」などと呼ばれるネットで関連情報をかき集めて個人を特定する人たちが登場、競うように個人情報を暴いて拡散していくのです。**

彼らは特定した人物の氏名や出身校、経歴、メールアドレスなどをTwitterなどに「#拡散希望」などのハッシュタグを付けて投稿します。

また、Instagramのストーリーのように一定期間が経つと自然に消える動画であっても、わざわざ保存して特定した人物の情報とともに再拡散します。

炎上した事件は、必ずバカッターやバカスタグラムの「その後」などと称するまとめサイトが作られ、個人情報が再びネットに晒されることになります。再拡散された個人情報とともに、鎮火しかけていた不適切動画が再度炎上することも多い。

こうなると半永久的に炎上動画と個人情報がネット上に残ってしまいます。

彼らは何も不適切投稿だけを晒しているわけではありません。

ネット上には女子高生のＳＮＳの裏垢（裏アカウント）を検索して、鍵をかけていないアカウントの画像ばかりを集めたサイトがあります。彼らは女子高生のプライベート画像を手に入れると、そうしたサイトに投稿して拡散しているのです。

また、かわいい女子高生を見つけると、数日にわたってストーキングして盗撮する「撮り師」というものもいます。

こうした危ない人物たちの手によって、不適切投稿で炎上した人物だけでなく、単にかわいいからと目をつけられた女子高生の写真が、本人も家族もまったく知らないところで「デジタルタトゥー」となってネット上を漂い、拡散していくのです。

先に挙げた2019年前半に起きたバイトテロ事件でも、すぐに動画の人物は特定され、本名はもちろん出身校や在籍校、勤め先や店舗などがネットに晒されています。

ひとたびネットで炎上し、個人情報を晒されると、

①多額の損害賠償を請求される
②バイトや仕事をクビになる
③大学の推薦入学を取り消される
④就職で不利益を受ける（履歴書の段階でハネられたり、内定の取り消しに遭うなど）
⑤結婚が破談になる
⑥炎上事件とともに自分の個人情報が半永久的にネットに残る

などその後の人生を台無しにしかねない悲惨な事態に見舞われます。

①の損害賠償に関しては、被害を受けたお店や企業は、相手に学生などが多いこともあり、従来は比較的寛容（かんよう）な態度で臨（のぞ）んできたようです。

しかし不適切動画が原因で店舗が閉店に追い込まれたり、風評被害から客足が落ちたり、株価も下落するなど看過できない事例が増えていることから、厳しい態度で臨む企業などが増えています。

仮に数千万円の損害賠償を求められた場合、学生ではまず無理。親に頼んで払ってもらうしかないでしょう。

しかし、親にそれだけの財力がない場合は、家を売ってお金を作ったり、借金をしなければならないかもしれません。そうなると親の老後の暮らしも破綻しかねない。また親に頼れない場合は、当事者の子ども自身が働きながら何十年も払い続けるしかありません。

身から出た錆とはいえ、こうなると自分が将来やりたいことや就きたい職業があっても、その子の自由にはならないでしょう。

②～⑥についても炎上事件で個人情報が流出すれば、ほぼ確実に直面する問題です。

勤務先からは当然解雇されますし、進学、就職でも不利益を被る可能性が高い。問題のある人物ではないかどうか、ネット上で素行調査をするのはいまでは当たり前になっているからです。

仮にそうした対応を企業がしていなかったとしても、

「●●●に入学（入社）することになった●●●●は、●●●炎上事件の主犯。なぜあんな人間を入学（入社）させるのか」

などといった批判の声が学校や企業に届く可能性があります。

実際、そうした投書があり、推薦入学が取り消されたケースを知っています。

結婚も同じです。炎上事件を起こした人物なら、本名で検索すれば、すぐにヒットします。

「あの男はこんなバカなことをしていたのか」と呆（あき）れられ、「そんな男にうちの娘はやれない！」と破談になる恐れが十分にあるわけです。

一度ネットに流出した個人情報は、「デジタルタトゥー」となって半永久的に消えることはありません。それによって、あなたやあなたのお子さんは一生苦しみ続けなければならないかもしれないのです。

若い世代は、SNSの機能を使いこなすことには慣れていますが、使った際にどんな影響が出るかについては、想像力が働いていないこともよくあります。

危うい子どもがいた場合には、人生経験のある大人が、その不適切投稿によって将来がどうなってしまうのかを説明し、教えて導いてほしいと思います。

○ タグ付けはトラブルのもと

SNSへの投稿では個人情報の流出や不適切動画などのほかにも注意すべきことがいくつもあります。中でもこれを忘れると思わぬトラブルや炎上事件に発展しかねないことの一つに「タグ付け」の問題があります。

先日ある人がこんなことを言っていました。

「昔から写真に撮られるのが苦手でした。最近は飲み会でも何でもすぐにスマホで撮るでしょう。しかも断りもなく平気でＳＮＳに投稿する。フォトハラスメントですよ」

スマホのカメラ性能向上とＳＮＳの利用者急増で、こうした不満の声を耳にすることが増えました。注意している人も多いですが、まだ意識の低い人も見られます。

ほかの人も写っている写真を投稿する場合は、承諾を得るのがマナーです。ましてや勝手にほかの人を「タグ付け」するのは絶対にやめましょう。

ご存じの人も多いと思いますが、タグ付けという機能は、写真やテキストに「名札＝タグ」を付けて写真上に表示するものです。

タグには特殊なリンク機能があって、たとえばFacebookならば、写真に写っている人にタグを付けると、タグ付けされた人のFacebookページにリンクが自動的に作成され、その人のタイムラインにも写真があがってきます。

このためタグ付けされた写真は、それを投稿した人の友達だけでなく、タグ付けされた人やその友達も見ることになります。

このタグ付けが、場合によっては大問題になることがあるのです。

たとえば、飲み会後に誰かが「今日は盛り上がりました！」と参加者の写真をFacebookに投稿したとします。

ところがその中にその場にいたことが知られるとまずい人がいた場合、タグ付けしてしまうと大変な迷惑になる恐れがあります。

実際、取引先からの会食の誘いを「仕事が立て込んでおりまして」と断っておきながら学生時代の友人と飲んでいたのが、タグ付けのおかげで取引先の人間にバレてしまい、「非常に気まずい思いをした」という話がありました。

また、Facebookが登場した頃には、カップルのうち彼氏だけが参加した飲み会で、参加女性と距離の近い写真がタグ付けでアップされてしまい、それをFacebookで見た彼女が激怒して破局した、というような例もありました。

タグ付けする際は、写っている人の迷惑にならないように必ず承諾を得ることです。

また、誰かに勝手にタグ付けされないようにSNSのアプリを設定しておくことも大事です。Facebook の場合であれば、次のように設定します。

[ホーム]のページ右上(ベルのアイコンの右横)にある三本線のアイコンをタップ⬇[設定とプライバシー]⬇[設定]⬇[タイムラインとタグ付け]⬇[Facebook で表示される前に他の人が自分の投稿に追加したタグを確認する]と[タイムラインに表示される前に自分がタグ付けされた投稿を確認する]の両方の設定をオン

この設定をするとタグ付けされたときに、「タグ付けされた投稿をタイムラインに表示してもいいかどうか」を確認する通知が届くようになります。「非表示」を選べば、次の画面で自分の写真に付いたタグを削除できます。

Twitter や Instagram も同様にタグ付けを拒否することができます。

○仕事で得た内部情報は、投稿しない

SNSでは、仕事がらみの投稿が原因でしばしば炎上事件が起きます。

たとえば、東海地方のDVDレンタル大手某店の女性アルバイトが、自分の好きな韓国のアイドルグループを批判していた来店客に腹を立て、「仕事の性質上、名前や性癖も暴露できる」とTwitterに投稿、炎上しました。

店の持つ個人情報やレンタル履歴を盾に客を脅したわけです。批判が殺到したのは当然でした。

また、ある一流ホテルのスタッフは、有名人の宿泊にはしゃぐあまり、

「●●●●がうちのホテルに泊まった」
「これから泊まった部屋覗いてくる」
「●●が使ったベッドに寝てみた」

などとTwitterに投稿して炎上しました。

顧客のプライバシーを何だと思っているのかと、呆れるばかりの職業倫理の欠如や

企業としての守秘義務違反などに批判が殺到。ホテルは謝罪に追い込まれ、スタッフは解雇されました。

このように業務上で知り得た個人の情報や、有名人の目撃情報などを投稿するケースは後を絶たず、そのたびにプライバシーの侵害であり、職業倫理や会社の守秘義務に反するとしてネットで糾弾（きゅうだん）されています。

二つの事例は、いずれも匿名アカウントによるTwitterへの投稿でしたが、あっという間に特定され、個人情報が晒されています。

このほか仕事がらみの投稿では、会社の愚痴（ぐち）や取引先の悪口などもやめるべきです。匿名アカウントなら大丈夫と思っても、誰がどこで見ているかわかりません。

悪口に気づいた会社の人間が、「やけにうちのことに詳しいな」と思って、投稿内容を見れば、「これ知ってるの、うちの課の●●しかいない」とか、「先日の交渉で起きたトラブルが詳細に書いてある。取引先の担当の●●しか考えられない」などと**案外簡単に身バレ（身元が特定されること）するものです。**上司や取引先の信頼を失うことにもなりかねません。

また社外秘の情報を投稿するのは論外。会社に大きな損害を与える恐れがあります。**宣伝用に社内での写真を投稿する場合も、極秘資料などが写り込んでいる可能性がありますから、細心の注意が必要。**実際、社内での私的な撮影を禁止している会社も増えています。

さらに、就活生やその親の中には、内定通知書を撮影してＳＮＳに投稿する人がいますが、これも検索をすると、かなり見つかります。

嬉しいのはわかりますが、何も世間に披露(ひろう)して自慢することはない。これも会社に知られたら不利益になる可能性があります。

仕事や会社がらみの投稿では、通常、大手の企業や有名大学ほど炎上しやすい傾向があります。

求められる職業倫理や遵法(じゅんぽう)意識がどうしても高くなるため、それに背いたときは、

「一流企業なのに、一流大学なのに、何をやっているんだ」と叩かれやすいのです。

SNSへの投稿は、一度火がつけば、簡単に拡散され収拾がつかなくなります。**職業倫理や守秘義務の観点から問題がないか、常に意識する必要があります。**

最近はSNS投稿に関するガイドラインを設けている会社も多いようです。罰則規定なども含めてよく確認しておきましょう。

○誹謗中傷投稿をすれば、裁判になるケースも

「●●●は学校でいじめをしている」
「●●は課長と不倫をしている」
「●●●●は会社の金を使い込んでいる」
「IT企業●●の社長には恐喝の前科がある」

ネットには人を貶(おとし)めて侮辱(ぶじょく)するための誹謗中傷が溢れています。

いくら根も葉もない話であってもターゲットにされた人の苦痛は深刻で、学校や会社にいづらくなったり、風評被害で会社の業績が落ちることだって考えられます。

なぜそんなバカなことをするんだろうと思うかもしれませんが、現実には前述のように18・3％の人が「悪意のある投稿」をしています。**これはざっと5、6人に1人に当たる数字で、けっして特別なことではないのがわかります。**

背景にあるのは、Twitterや有名掲示板などの匿名で投稿できるサイトの存在です。身元が隠せる安心感から「何を書いても大丈夫」という心理が働きやすい。

この心理に、ターゲットに対する嫉妬や根拠のない優越感、日頃の不満の憂さ晴らしといった要素が重なって、誹謗中傷に及ぶケースが少なくないようです。

しかし匿名であるのをいいことに理不尽な誹謗中傷を繰り返せば、必ずしっぺ返しを食らいます。

先頃、数年間にわたり「無銭飲食をした」「流産しろ」「自宅に放火する」などの誹謗中傷を受けてきたアイドルグループの元メンバーの女性が、プロバイダ責任制限法に基づく「発信者情報開示請求」に踏み切り、投稿者を特定。今後、刑事と民事で責任を追及すると発表して話題になりました。

書き込まれた誹謗中傷の数は数万件に及んだそうです（『産経新聞』電子版２０１９年10月30日）。

悪いことをすれば、最終的に匿名性は守られず世間に晒されます。罵詈雑言（ばりぞうごん）の投稿も、話題になってスクショを撮られて拡散されれば、デジタルタトゥーになります。

軽い気持ちで誰かを侮辱すれば、それが今後のあなたの人生の足かせになることを覚悟すべきです。

それにしても匿名性というのは怖いものです。面と向かっては言えないことでもネットの匿名環境なら平気で言えてしまう。人を変えてしまうことを思い知らされます。あるとき、匿名のTwitterアカウントがニュースで話題の事件に関連して、まるで被害者に落ち度があったかのように口汚く責め立てるのを見つけました。

そこで、いったいどういう人物なんだろうと過去のツイートを覗いてみたら、投稿内容から知人であることがわかり、驚愕（きょうがく）しました。

普段、とてもそんな発言をする人には見えなかったからです。

やってはいけないことは、現実の世界でもネットの世界でも同じ。リアルだろうがバーチャルだろうが、誹謗中傷されて苦しまない人はいません。

匿名を隠れ蓑に人を傷つけるような卑劣なマネはやめることです。

○その投稿も特定材料に！――やりがちな危ない投稿例

炎上が起きると特定班や特定屋などと呼ばれる人たちが登場して、問題の投稿をした人物の個人情報を根こそぎ特定します。

彼らがまずやるのはSNSのハッシュタグ検索です。

たとえば、大麻で中学生が逮捕された事件があると、学校が特定されないようにマスコミはぼかしを入れて放送します。しかし、彼らはぼかされたその映像の中から数少ない特徴を見つけ出し、学校を特定してしまいます。

学校がわかれば、次は「#学校名」や「#大麻」などで検索をかけ、その生徒や父兄、当該学校の関係者や同級生などのSNSのアカウントを探します。

ショッキングな事件であればあるほど、身近な人たちもＳＮＳで話題にしています。すると使える情報も多く、すぐに本人が特定されて写真付きの投稿が出まわるのです。

以下は、特定班やストーカーがＳＮＳでやっているような検索手口です。こういった検索の材料になる投稿は避け、アカウント名やＩＤ名等も見直してください。

- Twitter などのＳＮＳに投稿された写真で画像検索を行ない、Facebook にも同じ写真が投稿されていれば、一発で本名がわかる
- Facebook や Instagram など、ほかのＳＮＳアカウントとＩＤや投稿内容が同じであれば、匿名アカウントでも同一人物と特定できる
- 友人知人のＳＮＳアカウントやブログを特定してターゲットの情報を得る。「●●さんの世田谷の新居、めちゃすごい」など無邪気な投稿がしばしば見つかる
- フォロワーに注目。「●●さん明日もよろしく！」等のリプライから名前が判明
- 「●●なう」のつぶやきでターゲットの現在地と行動を知る
- 気象情報を活用。「近くに雷落ちた」の一言で雷の発生位置を調べ、所在を絞り

込む

- 交通情報を活用。「●●線で人身事故」の投稿から居住沿線を特定
- ニュースになるような事件や事故、災害の情報を活用。「ニュースでやってる事件現場。家のすぐそば。怖い」で居住地域特定
- 自撮り写真の背景に写り込んだ道路や建物などの特徴から地域を推定
- 地域が絞り込めたらグーグルのストリートビューで一帯を歩きまわり自宅を特定
- グーグルのストリートビューでターゲットの自宅に写る車や自転車、傘などから家族構成などを推定
- 自撮り写真の背景に写り込んだレシートやコンビニの袋、手紙、宅配便の送り状、回覧板、間取りなどで生活区域や住所を特定
- 電信柱やマンホール、ガードレールなど風景写真に写り込んでいる住所や地域から居住地や行動範囲を特定
- 投稿動画では、背景に見える景色と聞こえてくる音に注目。たとえば、景色で地域を特定し、電車の音の間隔で沿線と駅を特定

これらを見ればわかるように特定班やストーカーは、ターゲットにたどり着くための断片的な情報を根気よく一つひとつ拾い集めていきます。そしてそれらの情報の多くは、狙われた人が自らSNSで発信したもので、それが手がかりになっています。

逆に言えば、個人の特定につながるようなプライベートの情報さえSNSで発信しなければ、個人情報が漏洩し、ストーカーなどの恐怖に晒されることもないのです。

たとえば安全面から言えば、自撮り写真はSNS投稿で控えるべき最も大事な個人情報の一つです。

ストーカーになるのは何の面識もない赤の他人ばかりではありません。顔見知りの友人知人やかつての恋人などが、思わぬ行動に出ないとも限らないのです。

別れた彼氏や彼女が不遇にあるとき、たとえば元カレ元カノの結婚間近の幸せオーラ満開の自撮り写真やコメントなどを見れば、おそらくいい気持ちはしないでしょう。

それがきっかけとなってストーカー行為に走るかもしれない。

人はどこで理不尽な恨みを買うかわかりません。写真や動画も含めてプライベートな情報の発信にはくれぐれも注意するようにしましょう。

SNSを安全に使うための設定

SNSの二つの脅威に備える

SNSの利用では、次の問題が最も脅威となります。常にリスクを意識しましょう。

①個人情報の流出
②アカウントの乗っ取り

以下、これまでの話を踏まえつつ、4大SNS（LINE、Twitter、Facebook、Instagram）を安全に使うための設定をまとめておきます（どれもスマホ用のアプリからの設定方法です）。どのSNSも多くの設定項目があるため、大事なポイントに絞ってお話しします。

○ LINEの設定のポイント

LINEは日本で最も多く利用されているSNSです。手軽に人とつながれる利便性から老若男女を問わず愛用されています。それだけにやりとりされる個人的な情報も多く、すでにつながっている相手からのストーカー被害も少なくありません。

プライバシーやセキュリティの設定には十分な注意が必要です。

①タイムラインの公開範囲に気をつける

タイムラインに投稿するときは、意図しない範囲まで自分の投稿が見られないよう事前に必ず公開範囲をチェックしましょう。

初期設定の「全体公開」のままにしていると、LINEでつながっていない人の目にも触れる可能性があるので注意が必要です。

「友だち」限定にするか、さらに限られた友人リストを作り、その範囲だけに見える設定にしましょう。公開範囲の設定に確信が持てない場合は、投稿を控えましょう。

②アドレス帳検索で「友だち」を追加しない

LINEには、スマホのアドレス帳にある連絡先を自動で「友だち」に追加する機能があります。一見便利ですが、アドレス帳には縁の切れた人や仕事だけの関係の人もいるでしょう。この機能はそうしたLINEでつながりたくない人まで勝手に友だち登録してしまいます。

友だちに追加されると、設定している名前やアイコンが相手にわかります。本名や本人画像の場合は個人情報の流出につながる恐れもあります。

この機能を止める場合は、LINEアプリを立ち上げて以下の設定をしてください。

［ホーム］ページの右上にある「人型に＋のついたアイコン」をタップ⬇［友だち追加］ページ上部に登場する［友だち自動追加］をタップ⬇［友だち自動追加］をオフ。

③電話番号で「友だち」追加されないようにする

［ホーム］ページ右上にある歯車型のアイコンをタップし、次の［設定］ページから［友だち］へ行くと、［友だちへの追加を許可］という項目があります。これがオンに

なっていると、あなたの電話番号をアドレス帳に登録しているLINEユーザー（その中で［友だち自動追加］設定をオンにしている人）は、自動的にあなたを友だちに追加して、電話番号によるアカウント検索もできるようになります。

こうなると、自分の電話番号を知っている昔の恋人や仕事関係の人などに自分のLINEのアカウント情報を知られる可能性があります。

避けたい場合には、［友だちへの追加を許可］はオフにしておきましょう。

④ID検索を無効にする

LINEで設定したIDは、第三者の検索によってあなたの知らない誰かに勝手に「友だち」追加される可能性があります。

また、ほかにもSNSのアカウントを持っていて、同じIDを使いまわしている場合は、検索でそちらのSNSアカウントもわかってしまいます。

ID検索をされたくない場合は、［ホーム］ページ右上にある歯車型アイコンをタップ➡［設定］➡［プロフィール］➡［IDによる友だち追加を許可］をオフにします。

⑤QRコードを更新する

LINEの「友だち」追加の方法の一つにQRコードを使う方法があります。**注意したいのはそのQRコードを誰かにシェアして送信した場合です。**

そのとき相手に自分のアカウントを伝えるためにはいいのですが、**そのQRコードが意図せず誰かに見られたり、SNSに晒されるなど悪用される恐れがあります。**

これを防ぐには、そのとき伝えたい相手の友だち追加が完了したら、こまめにQRコードを更新することです。

［設定］➡［プロフィール］➡［QRコード］➡［マイQRコード］ページ内の下段左にある更新マークをタップし、さらにOKをタップすると更新できます。

⑥アプリからの情報アクセスを拒否する

もしあなたの「友だち」が、LINEと連携している外部のアプリに［自分の友だち情報へのアクセス］を許可しているとしたら、そのアプリはあなたのプロフィールにもアクセスしていることになります（たとえば、LINEと連携しているゲームアプリであなたの友だちがプレイしていた場合、そのゲームアプリにある［LINEの友だちを招待する機能］によって、ゲームをしていないあなたの情報も、そのゲームアプリ会社から見えている、ということです）。

この状態を望まない場合は、［設定］⬇［プライバシー管理］⬇［アプリからの情報アクセス］⬇［拒否］を選択してください。

⑦別の端末からはログインできないようにする

LINEのログイン情報が流出すると、アカウントが乗っ取られてしまいます。最悪の事態を想定して、自分のスマホ以外の別の端末からはログインできないように、あらかじめ設定しておくと安心です。

［設定］⬇［アカウント］⬇［ログイン許可］をオフにすると、別の端末からの不正ログインを阻止できます。

○Twitterの設定のポイント

Twitterは匿名で利用できるのが大きな魅力ですが、一方で匿名性をいいことに誹誹謗中傷やストーカー行為に使われやすいなど、負の側面も持ち合わせています。

それだけにプライバシー設定をしっかりしないと、思わぬトラブルに巻き込まれる恐れがあります。

①ツイートを非公開設定にする

Twitterを安全に使うには、非公開にすることです。フォロワー以外の人からはツイートが見えなくなり、赤の他人にアカウントを知られるリスクが減ります。

非公開にするには、まず怪しいフォロワーをブロック。そのうえで［ホーム］ページで左上サムネイル画像のアイコンをタップ➡［設定とプライバシー］➡［プライバシーとセキュリティ］➡［ツイートを非公開にする］を有効にします。

なおこれまでたびたび述べているように、鍵をかけているいわゆる鍵垢ユーザーに気に入られるようにアカウントを育てて近づいてくる人物もいるため、非公開にすれば万全というわけではありません。

鍵垢にした後のフォローリクエストに対しては、慎重に見極める態度が必要です。

②ＤＭ（ダイレクトメッセージ）の受信を拒否する

ＤＭを誰からも受け取れる設定になっていると、出会い目的のメールやわいせつ画像、わけのわからない外国語のメッセージなどが大量にきたりすることがあります。

勝手に送り付けてくるＤＭは、アカウント乗っ取りの手段の一つ。要注意です。

これを防ぐには、［ホーム］⬇［設定とプライバシー］⬇［プライバシーとセキュリティ］⬇［ダイレクトメッセージ］⬇［メッセージリクエストを受信する］をオフにします。

この設定で、フォローしていないアカウントなどからのＤＭを受信しなくなります。

③メールアドレスや電話番号で検索できないようにする

Twitter には、メールアドレスや電話番号でアカウント検索できる機能があります。

これを使えば知り合いを検索してフォロワーになることができます。

しかし逆に言えば、自分のアカウントも検索をかけて知られる恐れがあります。

それを避けるには、メールアドレスや電話番号で検索できないようにしましょう。

［ホーム］⬇［設定とプライバシー］⬇［プライバシーとセキュリティ］⬇［見つけやすさと連絡先］⬇［メールアドレスの照合と通知を許可する］と［電話番号の照合と通知を許可する］の二つをオフにします。

この設定をしておけば、あなたのメールアドレスや電話番号を知っている人にあなたのTwitterアカウントがバレる心配はありません。

④不審な連携アプリを削除する

Twitterアカウントの乗っ取りは、知らないうちに危険な外部のアプリと連携してしまっているケースが多いとされます。

アカウントが乗っ取られるとパスワードやメールアドレスなどのアカウント情報が書き換えられ、もとのユーザーがログインできなくなります。

アカウントの乗っ取りは、出会い系や詐欺ビジネスなどに誘導するためのツイートやフォロー、DM送信など、いわゆるスパム行為を目的に行なわれます。

これを防ぐには、いま現在、Twitterアカウントがどんなアプリと連携しているか確認し、不審なアプリがある場合は削除する必要があります。

【ホーム】➡【設定とプライバシー】➡【アカウント】➡【アプリとセッション】を開くと連携しているアプリの一覧が出ます。身に覚えのないアプリが連携していないかチェックし、怪しいものがあれば削除しましょう。

○ Facebookの設定のポイント

Facebookは原則として実名で利用するSNSです。**このため本名で登録している人が多く、個人が容易に特定できてしまいます。**投稿の内容によっては学校や職場、住所もわかってしまいますから注意が必要です。

①投稿は「友達限定」にする

実名利用のFacebookでは、投稿の公開範囲はとても重要です。投稿を「公開」にすると誰でも閲覧できます。個人情報が流出する原因になるので必ず「友達」に限定します。

［ホーム］のページで右上（ベルのアイコンの右横）**にある三本線のアイコンをタップ➡［設定とプライバシー］➡［プライバシーセンター］➡［重要なプライバシー設定を確認］➡［コンテンツのプライバシー設定］➡［次へ］➡［次へ］➡［今後の投稿］を［友達］までの公開範囲に選択し、［過去の投稿を制限］もタップして設定➡［次へ］➡［次へ］で完了。**

②プロフィールも「原則非公開」にする

プロフィールには学歴、職歴、出身地、居住地、誕生日、連絡先などが含まれます。自身や身内、交際相手などを危険に晒すことのないように、これも原則非公開の「自分のみ」に設定しましょう。

先ほどの①の設定同様、［重要なプライバシー設定を確認］までたどりついてタップをしたら、［コンテンツのプライバシー設定］➡［次へ］➡［プロフィール情報］のページで各項目の公開範囲を［自分のみ］に設定➡［次へ］➡［次へ］➡［次へ］で完了。

③友達リストは非公開にする

友達リストを公開に設定している場合、友達関係の一覧リストや友達の投稿から、あなたの個人情報を盗まれる恐れがあります（たとえば、あなたがプロフィールを非公開にしていても、友達の多くが同じ会社名をプロフィールに入れて公表していれば、あなたの勤め先もその会社ではないかと推測されてしまいます）。

このため友達リストも「非公開」にするようにしましょう。

先ほどの①の設定同様、［設定とプライバシー］までたどりついてタップをしたら、［設定］⬇［プライバシー設定］⬇［友達リストのプライバシー設定］⬇［自分のみ］に設定します。

④電話番号検索は「友達」または「自分のみ」に限定する

電話番号で個人を特定されないように、検索できる人の範囲を限定すべきです。

［設定とプライバシー］⬇［設定］⬇［プライバシー設定］⬇［電話番号を使って私を検索できる人］⬇［友達］または［自分のみ］に設定します。

⑤メールアドレスを非公開にする

アカウントが乗っ取られる原因の一つにメールアドレスの流出があります。メールアドレスが漏れていると、あとはパスワードがわかればログインができてしまいます。メールアドレスを非公開にすることです。

【設定とプライバシー】➡【設定】➡【プライバシー設定】➡【メールアドレスを使って私を検索できる人】➡【自分のみ】に設定します。

⑥見覚えのある名前でも本人かどうか疑う

直接面識のない人からの友達申請は、共通の友達が複数いたとしても、どういう人物かわからないので承認しないのが安全面から考えた場合の大原則です。

また、友達申請をしてきた人物の名前に見覚えがあったとしても、鵜呑（うの）みにするのは危険です。なりすましの可能性がないとは言えないからです。

友達リストが公開されている場合、悪意を持った第三者がその中の誰かになりすまして、「新しくアカウントを作り直した」などと友達申請をしてくる恐れがあるのです。

友達リストを非公開にすべきなのは、こうしたなりすまし防止にもなるからです。

開設直後でまだ投稿がないようなら要注意。くれぐれも異性からの友達申請だからといって浮かれて承認することのないようにしましょう。

あなたのアカウントが乗っ取られてしまうかもしれません。

⑦ログインアラートを設定しておく

ログインアラートは、いつもと違う端末やOSなどから怪しいログインがあると教えてくれる機能です。不正ログインにすぐに気づけるのでぜひ設定しておきましょう。

［設定とプライバシー］➡［プライバシーセンター］➡［認識できないログインに関するアラート］➡［お知らせ］［Messenger］［メールアドレス］のいずれかをオン。

⑧連携アプリは極力使わない

Facebookの連携アプリには怪しいものも少なくありません。アプリ経由で個人情報が流出し、アカウントを乗っ取られる恐れがあります。ただし、私たち一般の人間にはどれが安全でどれが危ないアプリなのか見分けることは困難です。

だからこそ、連携アプリは極力使わない。それが何よりの乗っ取り防止対策です。どうしても必要なアプリ以外は削除することをお勧めします。

○ Instagramの設定のポイント

Instagramは画像がメインのSNSで、「インスタ映え」という流行語まで生みました。Twitter同様に匿名利用が多いことから、動画機能のストーリーを使った不適切動画の投稿が相次ぎ、「バカスタグラム」なる言葉も誕生しています。

①非公開にする

投稿した画像や動画を友達以外に見られたくない場合は、アカウントを非公開設定にしましょう。フォローを許可しない限り、他人には投稿画像や動画は見えなくなります。検索すればアカウントは見つかりますが、投稿内容はフォロワー以外の第三者にはわかりません。

非公開のアカウントにするには、右下の人型のアイコンをタップ⬇右上の三本線のアイコンをタップ⬇下部に登場する［設定］をタップ⬇［プライバシー設定］⬇［アカウントのプライバシー設定］⬇［非公開アカウント］をオンにします。

ただしTwitterの鍵垢がそうであるように、非公開設定にしても知らないうちに悪意ある人物のフォローを許可してしまう可能性がありますし、悪気のないフォロワーの友達が画面をスクショするなどしてシェアしてしまうかもしれません。

見るのは友達だけと思ったのにいつの間にか拡散していた——。不適切な投稿画像や動画が炎上する大きな理由の一つです。

再三お伝えしていますが、非公開にしても、いつどこから情報が漏れるかわかりません。投稿内容にはくれぐれも注意するようにしましょう。

②乗っ取りに注意する

Instagramにログインするには「ユーザー名」「パスワード」が必要です。

しかしInstagramの場合、ユーザー名は表示画面に出ているので誰でも知ることができます。つまりパスワードさえわかればログインできてしまうのです。

このため Instagram はほかのSNSに比べて乗っ取られやすいとされています。実際、簡単なパスワードや推測しやすいパスワードを設定している場合は、簡単にアカウントを乗っ取られてしまう恐れがあります。

友達や恋人などであれば、誕生日や電話番号などパスワードに使いがちなユーザーの個人情報もわかります。注意が必要です。

③パスワードを見直す

Instagram は乗っ取られやすいSNSです。乗っ取られないように、

- **複雑なパスワードに変更する**
- **パスワードの使いまわしをやめる**
- **定期的にパスワードを変更する**

など、パスワードの見直しや強化を行なう必要があります。

④不要な連携アプリは削除する

Instagramにおいても、連携アプリが原因で個人情報が流出し、アカウントを乗っ取られる恐れがあります。不要な連携アプリは削除するようにしましょう。

○すべてのSNSに共通するポイント

以上、4大SNSを安全に使うための設定のポイントを見てきましたが、実は共通してこれだけは絶対に設定しておくべきことが一つ抜けています。

それは「二段階認証」です。この設定をすれば、アカウントを乗っ取られるリスクは大幅に減らせます。

各SNSの設定方法は次の通り。必ず設定しておきましょう。

○LINE

基本的には、LINE登録時に電話番号もセットで登録済みなので、その場合は以下の設定は不要です。ただし、Facebookとの連動でアカウントを取得した場合には、電話番号の登録がなく二段階認証の設定もできていませんので、登録することをお勧めします。

［ホーム］⬇［歯車アイコン］⬇［プロフィール］⬇［電話番号の登録］⬇電話番号を入力して［電話番号の認証］⬇送られてきた番号を入力。友だちを自動追加するか否か、友だちへの追加を許可するか否か、を選択して設定完了。

（※LINEは二段階認証という言葉を使っていません。電話番号を登録することで二段階認証と同様のセキュリティを実現しています）

○Twitter

［ホーム］で左上サムネイルをタップ⬇［設定とプライバシー］⬇［アカウント］⬇［ログインとセキュリティ］⬇［セキュリティ］⬇［2要素認証］の［テキストメッセージ］［認証アプリ］［セキュリティキー］のいずれかをオンにする。

〇Facebook

［ホーム］のページで右上（ベルのアイコンの右横）にある三本線のアイコンをタップ➡［設定とプライバシー］➡［設定］➡［セキュリティとログイン］➡［二段階認証を使用］➡［認証アプリ］［SMS］のいずれかをオンにする。

〇Instagram

右下の人型のアイコンをタップ➡右上の三本線のアイコンをタップ➡下部に登場する［設定］をタップ➡［セキュリティ］➡［二段階認証］➡［スタート］➡［SMS］［認証アプリ］のいずれかをオンにする。

みなさんは、以上で登場した設定をいくつ実践されていたでしょうか？

大変ではありますが、セキュリティを最重要視するならば、自分のスマホも家族のスマホも以上の設定を見直すことをお勧めします（以上の設定は各SNSの仕様変更により、変わる場合があります）。

第3章

スマホから身を守るリテラシー

スマホからネット犯罪に遭う人が増えている

○ そのサイト、フィッシング詐欺かもしれません

「お客様宛てにお荷物のお届けにあがりましたが、不在のため持ち帰りました。配送物は下記よりご確認ください」

ある土曜日のこと。友人とランチをしていた小川さん（仮名、20代女性）のスマホに大手の宅配業者から一通のSMS（ショートメッセージ）が届きました。

数日前、ネットで買い物をした小川さんは、友人との約束があったので、商品の配達時間をその日の夕方に指定していたのです。

「せっかく時間指定をしたのに、間違えて午前中にきちゃったのか……」

小川さんは友人と別れると、「配達の不在通知がSMSできたことなんてないのに」と少し違和感を覚えながら、メッセージにあったURLをタップしました。

すると大手宅配業者のサイトが開き、再配達に必要なアプリのインストールを求められました。アプリを入れると次回以降、再配達の手続きが簡単になるとあります。「面倒くさいな……」と思いながらも、「アプリで手続きできるなら悪くないか」と考え、求められるままにアプリをインストールし、再配達の手続きもしました。商品はその日の夕方、無事に届きました。

ところが、それから間もなく小川さんはパニックに陥ります。

「私のスマホが、勝手に知らない電話番号宛てに、私に届いたのと同じようなSMSを毎日何百通も送るようになったんです。それを受信した知らない電話番号の人たちから毎日何十件も、●●宅配便ですか、再配達をお願いしたいんですけど、と電話もかかってくるようになって、もう怖くて怖くて……」

それだけではありません。知らない間にキャリア決済で大量の買い物をされて、その代金が私の銀行口座から次々と引き落とされていたんです。クレジットカードの決済通知を見たときは、あまりのショックにその場に座り込んでしまいました」

小川さんを恐怖のどん底に突き落としたのは、いわゆる「フィッシング詐欺」と呼ばれるものでした。

これは、クレジットカード会社や銀行、ショッピングサイトなどの実在する企業を装い、宅配業者の不在配達のような、さもありそうなメールやSMSを送り付け、その企業のサイトとそっくりの偽のサイトに誘導し、不正アプリをインストールさせるなどして、アカウント情報（ID、パスワードなど）やクレジットカード番号など重要な個人情報を奪い、本人になりすまして不正な取引を行なう犯罪行為です。

メールやSMSだけでなく、LINEなどのSNSに偽サイトのURLを投稿して誘導するケースもあります。

フィッシング詐欺は近年急増して手口も複雑化しており、

● 重要なお知らせ
● 必ずお読みください
● 個人情報漏洩の確認
● パスワードの変更をお願いします

等々、緊急事態を思わせるような件名をつけ、本文を読ませるように仕向けます。

そして本文では、

「お客様のアカウントに不正アクセスがありましたので、こちらのURLからアカウントの初期化を行なってください」

「あなたの口座への不正アクセスを感知しました。本人確認のため、下記のリンクより口座番号と暗証番号を入力してください」

などと不安を煽り(あお)、対応を急がせるのが常套(じょうとう)手段です。

これにまんまと騙(だま)されてURLをタップして偽サイトに誘導されてしまうと、小川さんのように不正アプリをインストールさせられてスマホの乗っ取りに遭い、スパムメールをまき散らされたり、好き放題に買い物をされるなどして多額の金銭被害を受ける恐れがあります。こうした被害に遭わないようにするには、

①心当たりのないメールやＳＭＳ、ＳＮＳのＵＲＬは開かない
②アドレスバーに鍵マークと正しいＵＲＬが表示されているか確認する

この二つの点を肝に銘じておくことです。

そもそも心当たりのないメールやＳＭＳはそれ自体を無視すべきで、ましてやそこに記されたＵＲＬなどは絶対に触れてはいけません。

うかつにもＵＲＬのリンクに触れてしまった場合は、ＩＤやパスワード等の入力前に、必ずアドレスバーに鍵マークと正しいＵＲＬが表示されているか確認しましょう。

どのサイトも、開くとアドレスバーにそのページのＵＲＬが表示されます。そこに鍵マークがあれば、信頼できる第三者機関（認証局）から「ＳＳＬサーバー証明書」の発行を受けていることを示しています。

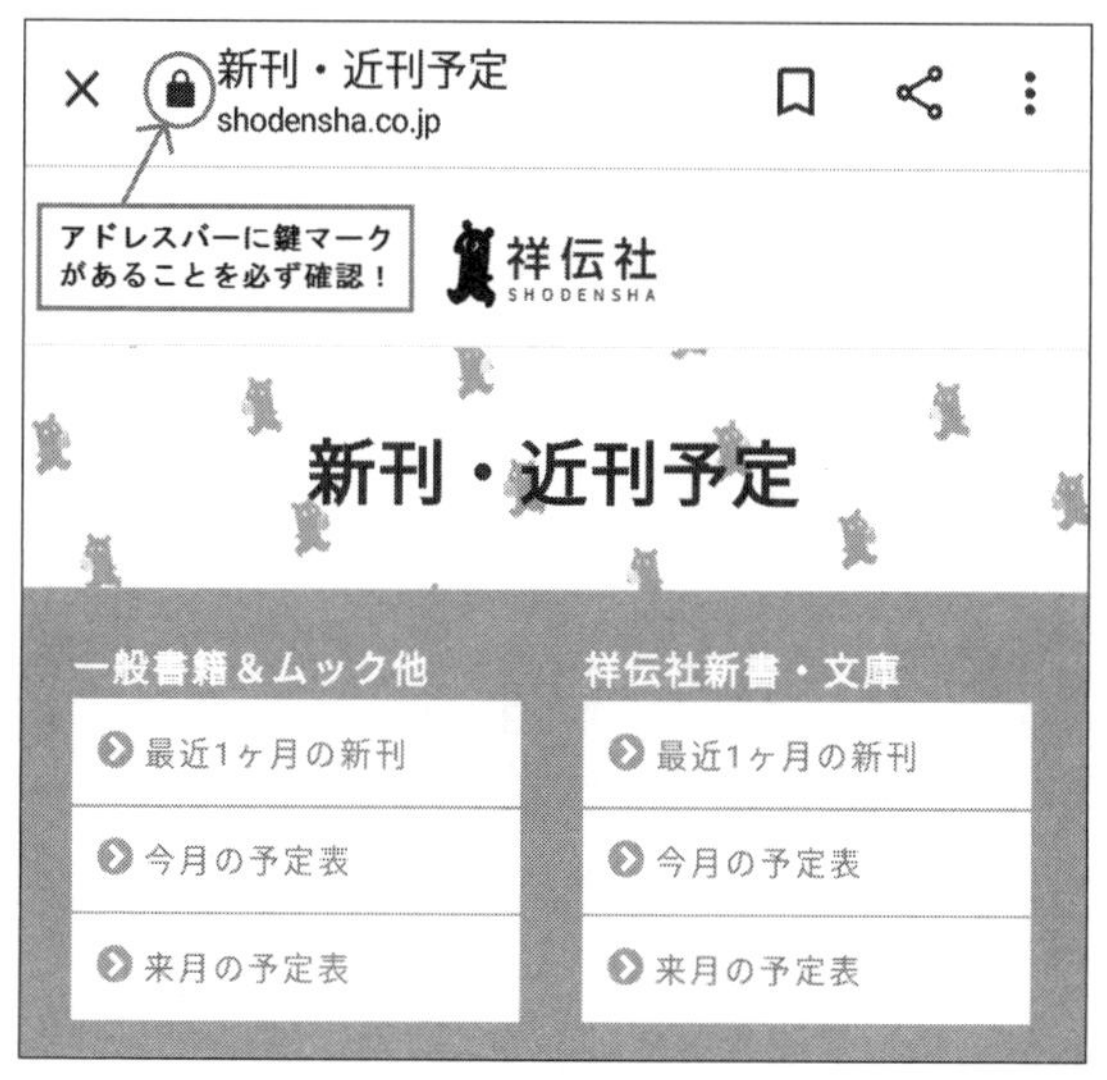

アドレスバーに鍵マークがあれば、安全なサイトだといえる

この証明書は通信を暗号化し、情報を安全に送受信していることを証明するもので、認証局によって正当なサイトであると認められている証です。

この鍵マークがなく、URLが本物のサイトとは違う場合、本物を装った詐欺サイトと考えて間違いありません。絶対にIDやパスワード等を入力しないことです。

すでにお気づきの人もいるかと思いますが、小川さんが被害に遭ったSMSを使ったフィッシング詐欺は、宅配大手の佐川急便を名乗って行なわれたものでした。

誘導された偽サイトは同社の公式ホームページをコピーした、まさに本物そっくりの代物（しろもの）。ただしそのサイトには冷静に観察すればすぐに偽物とわかる証拠がありました。鍵マークはなく、ＵＲＬも次のように本物とは違っていたからです。

[本物]　sagawa-exp.co.jp
[偽物]　sagawa-○○○.com

同じなのはsagawaだけ。日本で登記のある企業しか登録できないco.jpと、そのほかのドメインを使用した偽サイト。この違いが真偽を見分けるポイントでした。

入力時のアドレスバーの確認は、フィッシング詐欺で偽サイトまで誘導された人が、不正アプリのインストールを踏み止まるための最後の砦（とりで）です。名のある企業なら簡単に検索できますので、必ずＵＲＬを確認するようにしましょう。

また、ネット通販や銀行、クレジットカードを始めとした個人情報を登録している

ようなサイトを利用する際には、メール等に添付されたURLはなるべく避け、自分で検索をかけて公式ページにアクセスするようにしましょう。

○アダルトサイト閲覧で騙される男子学生たち

「(重要)アダルトサイトの閲覧履歴があり未納料金が発生しています。本日ご連絡なき場合、法的手続きに移行します。至急ご連絡ください。03-××××-××××●●●●相談窓口」

ある日突然、そんなSMSが高校生の翔太(しょうた)君(仮名)のスマホに届きました。翔太君はアダルトサイトを見たことを思い出し、不安になって電話をすると、住所、氏名、電話番号などを聞かれ、未納料金が5万円もあり、このままでは裁判になると言われ、怖くなって払ってしまいました。

好きなバイクを買うために、バイトでコツコツ貯めていた貯金を泣く泣く取り崩して払ったのですが、それから間もなく、似たような未納料金を請求するSMSが次々に翔太君のスマホに入るようになり、ようやく父親に相談。架空請求の被害が発覚したのでした。

翔太君が騙されたアダルトサイトの架空請求は、不特定多数のスマホの電話番号に対して無差別に大量のＳＭＳを送り付けるもので、多くの人は無視しておしまいです。しかし、翔太君のように身に覚えのある場合は、もっともらしく「法的手続き」だとか「裁判になる」などと言われると、つい払ってしまう人も出てくるのです。

こうして一度払ってしまうと、その手のリストに載り、別の架空請求業者からも連絡がくるようになってしまうというわけです。

また、架空請求の際によく使われるのは、「職場、学校、家族にも連絡する」という脅しです。アダルトサイトの閲覧を家族や周囲に知られるのを恐れ、誰にも相談できず、悩んだ末に支払う人が多いのです。

そして、これは何も若者に限った話ではなく、大人も一緒です。

高齢者が架空請求の被害者になることも珍しいことではありません。

社会的に積み上げたものがある分、恥を晒すのが嫌でなかなか相談できない人は年配者ほど多くいます。スマホが高齢世代にも普及するようになったので、今後はネットやスマホに詳しくない高齢者の被害がこれまで以上に増えるかもしれません。

さらに、脅しの手口は最近はより手が込んでいて、架空請求をするアダルトサイトには、ページを開いた瞬間、「カシャッ」とシャッター音がするものもあります。

ただの効果音で実際に顔写真を撮影しているわけではないのですが、「写真を撮られた！」と閲覧者に恐怖を与えるには十分です。

新しい手口が出てきた際には、騙される人も増えます。不安を感じた際には、払い込むより先に、似た手口の被害例がないかどうか、ネットで確認してみてください。

こうした架空請求は、その請求額の設定も絶妙です。

5万円なら高校生でもバイト代や貯めていたお年玉で頑張れば何とかなる。もし50

万円、100万円となったらお手上げで、最初から誰かに相談していたでしょう。

そうしていれば、「あんなのは放っておけばいいんだよ。法律的に契約は成立していない。支払う義務はまったくないから」とちゃんと教えてくれる人がいるはずです。だからこそ、詐欺をする側も請求額を50万円、100万円にはしない。

昨今の架空請求は10万円以下が多いのです。翔太君が騙し取られた5万円というのは、「裁判に訴える」とか「職場、学校、家族にも連絡する」と脅せば、誰にも相談せずに払える実によく考えられた金額設定なのです。

○架空請求画面にあなたのスマホの個体識別番号が……どうすればいい？

架空請求の一種にワンクリック詐欺というものがあります。

翔太君の場合はSMSに記された電話番号にかけて詐欺に遭いましたが、ワンクリック詐欺の場合はメールやSMSにURLが記されていて、それをタップすると、たとえば次ページのような架空請求の画面が現われ、代金を請求されるというものです。

メールやSMSのURLをタップ（クリック）すると、アダルトサイトなどの有料サ

ご入会ありがとうございました！

¥56,000円

[アダルトコンテンツ契約]
ご利用規約同意済み
年齢承認同意済み
個体識別番号：××××××××××××

[お客様ご登録情報]
ご入会日：20××/××/
お客様ID：×××××××××
端末情報：×××××××××
プロバイダ情報：×××××××××
ご利用期間：20××/××/××〜20××/××/××

ご入会日より3日以内にご利用料金をお支払いください。
なお、お支払い頂けない場合には、裁判所からご連絡がいくことになります。

ービスに契約したとして利用代金が請求される――。典型的なワンクリック詐欺の手口で、「お得情報」などをうたい、URLへ誘導するのが一般的です。

請求画面にはスマホの個体識別番号や端末情報なども出てくるため、「個人情報がすべて筒抜けだ！」とびっくりしてしまい、架空請求に応じる人もいるようです。

しかし請求画面に表示されるスマホの端末情報などは、どこのサイトを閲覧する場合にも発信されるデバイスの基本情報ですから心配には及びません。ワンクリックで契約に至るようなことはありませんし、スマホの画面をタップしただけで自分の名前や電話番号、住所などが流出することはないので安心してください。

要するにただのコケ脅しなのです。

それを知っていれば、たとえその画面が現われたとしても、「くだらないことをやってるな」と笑い飛ばして終わりです。

ワンクリック詐欺などのサイトには退会の連絡先が記されており、こちらに連絡がない限り請求が続くなどと書かれています。

それを見て慌て(あわ)てて退会の手続きをしようと連絡すると、かえって電話番号やメールアドレスなどを知らせる結果になりかねません。

頻繁に督促(とくそく)の電話やメールがくるようになるので、絶対に連絡してはいけません。

ネット上では、フィッシング詐欺や架空請求など、スマホのメールやSMSを使った詐欺が横行しています。

しかも手口は、年々複雑になっていますから、知らない相手からURLの付いたSMSがきたら「怪しい！」と思い無視することです。

○ 安全なWi-Fiと危険なWi-Fiの見分け方

ネットのリテラシーと言えば、忘れてならないのはフリーWi-Fiの使い方もその一つ。街中で使える無料のフリーWi-Fiスポットは、外出中でも動画を見たり、ゲームをしたり、大きなファイルがダウンロードできたりするのでとても便利です。

月末などでギガ死（通信制限がかかっている状態）のときなどは特にありがたい。カフエやコンビニ、ファストフード店などでは、いまや、「Wi-Fi使えます」が当たり前になっていますから、日常的に利用している方も多いと思います。

ただしこのフリーWi-Fi、使い方には注意が必要です。

多くのフリーWi-Fiは、スマホなどの端末とアクセスポイントとの間の通信が暗号化され、安全に利用できるようになっていますが、中には暗号化されていない危ないものもあるからです。

この場合は悪意のある第三者に電波が傍受（ぼうじゅ）され、通信内容が漏れてしまう恐れがあります。具体的には、ネット通販サイトのログイン情報、クレジットカードの情報、ネットバンクの情報などが抜き取られるほか、悪質なウイルスを送り込まれてスマホが遠隔操作され、個人情報を奪われて犯罪に悪用されるケースなども考えられます。

実際、フリーWi-Fiのスポット近くでは、そうした傍受が目的と思われるパスワード不要の暗号化されていないネットワークが公開されているケースが少なくないのです。

こうなると自分ではお店のフリーWi-Fiに接続したつもりが、実はつながっていたのは怪しいアクセスポイントだったということもあり得るわけです。

では、暗号化されていない危険なフリーWi-Fiのリスクを避けるには、どうすればいいのでしょうか。

それには、

①鍵マークのついた暗号化されたフリーWi-Fiスポットを選ぶ
②提供元不明のフリーWi-Fiスポットは使わない
③フリーWi-Fiスポットでは重要な個人情報の入力や送信をしない
④Wi-Fiの自動接続をオフにする

などに注意するといいと思います。

フリーWi-Fiは、提供元がはっきりしていて、鍵マークのついた暗号化されているスポットを選ぶのが大原則です。鍵マークのないスポットは、パスワードが設定されておらず誰でも接続できますが、暗号化されていないので非常に危険です。

提供元が不明の、俗に「野良Wi-Fi」と呼ばれるスポットはとりわけ要注意。悪意のある何者かが個人情報を盗むために設置するケースが多いからです。

またフリーWi-Fiスポットでは、重要な個人情報の入力、送信が必要になるネット銀行やネット通販などの利用は避けるべきです。というのも、自分では暗号化された安全なスポットを使っているつもりでも、実は誤って鍵マークのない正体不明のスポットに接続してしまっていた、というケースがあるからです。

Wi-Fiの自動接続をオンに設定しておくと、このように勝手に危ないフリーWi-Fiに接続してしまい、大事な個人情報などを知らないうちに盗み取られる可能性があります。

Wi-Fiには必要なときだけ接続する――。

これもまた悪質なネット犯罪から身を守る大切なリテラシーの一つです。

SNSで性犯罪に巻き込まれる少女たち

わずか10分で20人の男が反応した少女の一言

第1章のSTORY2でも取り上げたSNSを入口とした少女たちの誘拐。2019年の下半期には本当に多くの事件が起き、SNSの使い方は社会問題化しています。

実際、私がまだ刑事だった頃にも似たような事件がありました。

中学2年生の女子生徒が「家に帰ってこない」と、ご両親から警察に家出人の届け出があり、女子生徒のネットの利用状況をご両親の協力のもと調べたところ、ゲームの掲示板に「家出したい」と書き込んでいたことがわかりました。

どうやら些細（ささい）なことで父親に叱られたのが原因だったようで、ここまでは昔からある話だと思っていました。

ところが驚いたのは、その少女の家出希望の書き込みからわずか10分の間に、約20人の男から「手伝うよ」とレスポンスがあったのです。

女子生徒は、ネットゲームを通じて知っていた、その中の一人の大学生に「手伝って」と連絡。大学生は「ゲームの上級者なのに初心者を助けるいい人」で「車を持っている」のが決め手でした。

女子生徒はその日、学校の授業が終わると、その足で東京へ向かい、大学生と合流、夕方には東名高速に乗ります。

警察は、大学生のSNSと、実家が滋賀県にあることを特定。さらに、大学生が足柄サービスエリアで、車を背景に2人で撮った写真をSNSに投稿しているのを発見。そこから車のナンバーと車種も特定。その後もサービスエリアで休憩するたびに投稿があり、警察は滋賀の実家に向かっていると判断して滋賀県警に2人の確保を依頼。

結果的に、大学生の実家に現われたところで女子生徒を無事に保護、大学生は未成年者誘拐、青少年保護育成条例違反で現行犯逮捕されました。

結果だけ見れば家出騒動で済んだわけですが、それはあくまで結果論。警察の捜査が迅速且つ適切に行なわれなければ、性的被害等を受けた可能性は十分にありました。というのも、女子生徒は「大学生はいい人」だと供述していましたが、当の大学生は「女子生徒の家出を手伝ったのは性交渉が目的だった」と述べているからです。

先ほど「家出したい」の書き込みに10分で約20人の男が反応したと記しましたが、レスポンスは続いて最終的にはそれ以上の男が「手伝う」旨の反応を示しました。

しかし、純粋に女子生徒の家出を手伝おうと思っていた男は、おそらく1人もいなかったはずです。もしずさんな大学生ではなく、計算高い別の誰かに女子生徒が頼っていたとしたら、彼女は無事に家に帰れなかったかもしれないと、私は思っています。

女子生徒は、運が良かったのです。

SNSの出会いに潜む狂気

警察庁の調べによれば、2017年の1年間にSNSを使って事件に巻き込まれた18歳未満の子どもは1813人で、統計を取り始めた2008年以降で最多でした。

被害で最も多いのは青少年保護育成条例違反（淫行など）の702人。以下、児童ポルノ（裸の写真の撮影など）570人、児童買春447人、児童福祉法違反33人、強制性交等24人、略取誘拐21人、強制わいせつ16人となります。ほぼ性犯罪です。**被害者の95％は少女で、15～17歳が全体の約7割を占めますが、11歳以下も17人いて、中には8歳の女の子もいました。SNSの闇の深さを思わずにはいられません。**

ところが、少女たちのSNSを通じた出会いへの危機意識は驚くほど低い。

情報セキュリティ企業のデジタルアーツの調査では、ネット上で知り合った人と実際に会うことを希望する女子高生は64・8％である一方、未成年の44・0％がネット関連の事件で当事者になり得ると感じる事件は「特にない」と回答しています。「自撮り写真」の被害を心配している未成年者はわずか5・0％、「ネット上の出会いをきっかけとした被害」についても6・3％しか不安に感じていません（デジタルアーツ「第12回未成年者の携帯電話・スマートフォン利用実態調査」2019年5月）。

驚くべき危機意識の欠如です。

それを強烈に印象づけたのは、２０１９年1月に発覚した茨城県の女子大生殺人事件です。前年11月、都内に住む女子大生（当時18歳）が行方不明になり、年が明けた1月末に茨城県神栖市の空き地で全裸の遺体で発見されました。

その後、逮捕された男（当時35歳）の供述から、女子大生とはネットの掲示板やオンラインゲームで知り合ったことが判明しました。

調べによると、30万円ともいわれるオンラインゲームの代金を女子大生が立て替えており、のちにその返済をめぐって男と揉め、女子大生から「あなたのことをＳＮＳで拡散する」と言われて逆上、殺害に及んだとされています。

男が女子大生と会ったのは殺害した日が初めてだったそうです。男はネット上で「落ち武者」と呼ばれる風貌をしており、リアルの世界であれば、おそらく18歳の女子大生が交流を持つタイプではなかったでしょう。

ネットの世界では、いくらでも自分を飾り立てて演じることができます。
またネットゲームの世界では、技量に応じて人間関係が生じる面があるなど特異な

価値観も存在し、加えて、共通の趣味で関係をスタートできることから見ず知らずの相手にも共感しやすく、危機意識のハードルが下がりやすいという特徴があります。

そうしたことがどれほど影響したかはわかりませんが、女子大生は男のためにゲーム代金を立て替えたくらいですから、当初は信頼に足る人物と映っていたのでしょう。

ところが実際はそうではなかった。

ネットの世界の限られた情報だけで相手の本当の人間性などわかるはずがない、ということをデジタルネイティブ（生まれたときからネット環境が整っていた世代）の方々には改めて意識していただきたいと思います。

○裸の写真を求める恋人は、あなたのことを真剣に考えていない

先ほど、自撮り写真の被害を心配している未成年者はわずか5・0％という数字を紹介しましたが、関連してこんなデータもあります。

独立行政法人情報処理推進機構の調べによれば、恋人など相手が非常に近しい間柄であれば、「自身の性的な姿を撮影した写真や動画」をSNSで共有してもかまわな

いと考えるスマホユーザーは7・4％もいます。

また「SNSで自身の性的な写真や動画を撮影して投稿した」ことを問題と考えるスマホユーザーは57・6％で、4割以上の人が別に問題とは思っていないことがわかります（独立行政法人情報処理推進機構「2017年度　情報セキュリティの倫理に対する意識調査」）。


こうした危機意識の欠如は、SNSなどで裸の自撮り写真を要求される少女たちを確実に増やしています。

警察庁の調べによると、2018年の自撮り写真による被害を受けた18歳未満の子どもは、541人で5年前の2倍。高校生247人、中学生239人で全体の約9割を占め、小学生も45人います。

彼女たちが被害者になる典型的なパターンはこうです。

悪意を持った大人が、SNSで同世代を装い少女たちに近づき、友達になる最初は飼い猫の写真を褒めるなど他愛のないやりとりで安心させ、次第に打ち解けるとDMや通話アプリで学校や友達の悩みを聞くなどして距離を縮める

↓

その過程で学校名や名前を教え合い、「これが僕」などとネットで拾ってきたどこかの学生の写真を送り、「君のも見たい」と要求

↓

少女が「何か変」と警戒して断ると男は態度を豹変。すでに把握している少女の名前・学校・友達関係などをネタに使い、「裸の写真を送ってこい。断ったら、クラスの●●の悪口を言ったのをばらす」とか、「お前の個人情報をネットに晒す」などと脅迫

↓

怖くて誰にも相談できないまま、少女は裸の自撮り写真を撮って男に送信

あとはお決まりのコースで、「裸の写真をネットにばらまく」とさらに脅され、現実

の世界で性的関係を強要され、最悪の場合はその様子を動画に撮られてしまうのです。**裸の自撮り画像やそうして撮られてしまった動画がネットに流されたら、それこそ地獄です。最悪の「デジタルタトゥー」となって少女を一生苦しめる可能性が高い。**

しかも、これは何もSNSの出会いに潜む特殊な罠(わな)ではなくて、今日においては普通の恋人や夫婦の間でも起こり得る、ある意味ありふれたリスク。**愛の証としてパートナーに裸写真や抱き合っている写真を求めるケースは、少なからずあるからです。**

スマホが常にそばにあるいまの時代においてはなおさらで、本人が寝ているうちに裸の写真や動画を撮られているケースも少なくないのではないかと思います。

それでも互いの関係が良好なうちはまだいい。**問題は別れてしまった後です。男（女）がリベンジポルノでそうした写真や動画をネットに流す可能性があるのです。**

一度ネットに流出してしまえば、完全に回収・消去するのは不可能です。

安易に裸の写真や動画を撮らない、撮らせない——。

スマホ時代を安全に生き抜くための大事なリテラシーです。

SNSで加害者になるケースが増えている

犯人に間違われて実名を晒された女性

SNSにはデマや不確かな情報が溢れています。それを改めて思い知らされたのは、2019年夏に起きた常磐道煽り運転事件で拡散した「ガラケー女」のデマでした。

この事件では、危険な煽り運転を繰り返した挙げ句、相手の車を停車させてドライバーを殴った男が傷害容疑で逮捕。

また、男の交際相手の女も犯人蔵匿・隠避の容疑で逮捕されたのですが、事件の一部始終が記録されたドライブレコーダーの映像で、男がドライバーを殴るところを止めもせず、女がガラケー（携帯電話）でそのシーンを撮影していたことから、「ガラケー女」と呼ばれ、事件の発覚当初から、ある意味、男以上に注目される存在でした。

煽りカップルの正体を暴けとばかりにネットで執拗な犯人探しが始まり、男はすぐに特定され、やがて女も「これがガラケー女だ」と実名が晒され、顔写真やプロフィール、経営する会社名まで暴かれ、凄まじい勢いでネット上に拡散していきました。

ところが、ガラケー女とされたこの女性は、まったくの別人でした。

デマの拡散に気づいた女性は、ただちにFacebookで「完全に事実と異なる」と否定しましたが、ネットでは、

「顔の輪郭が同じ。●●は絶対にクロ」

「歯並びもネックレスも同じ」

などというデマがさらに拡散を続けていきました。

それがやっと止まったのは本物のガラケー女が男と一緒に逮捕され、実名が報道された後でした。**その間、女性の会社には嫌がらせなどの電話が1日200件以上かかってきたそうです。**

デマの根拠は実に呆れたもので、女性のInstagramのアカウントを逮捕された男がフォローしていたことと、女性がSNSに投稿していた写真の容姿や服装（サングラ

スと帽子）がガラケー女と似ている、というただそれだけのことでした。

その後、女性はデマをＳＮＳなどに投稿した人たちの法的責任を追及すると発表。デマを流した１００件単位の投稿や記事について発信者情報開示請求の手続きを進め、発信者を特定できた場合は損害賠償請求などを検討しているようです。

女性の毅然（きぜん）とした態度に恐れをなし自ら名乗り出て、すでに和解に至っているケースもあるようですが、その一方で愛知県内の某市議については、デマの拡散に加担しながら真摯（しんし）に反省している様子が見られないとして和解を拒否し、慰謝料１００万円を求める損害賠償請求訴訟を起こしています。

市議はすでに議員を辞職していますが、デマに加担していたことが発覚して以降、今度は自分が世間からの激しいバッシングに遭い、辞めざるを得なかったようです。

○デマが拡散される二つの理由

それにしてもなぜ人は、デマの拡散に加担してしまうのでしょうか。

それを考えるとき、一つ参考になる事例があります。
2016年4月に発生した熊本地震の直後に、街中を歩くライオンの写真とともに次のようなデマがTwitterに投稿されました。

「おいふざけんな、地震のせいで
うちの近くの動物園からライオン放たれたんだが
熊本」

このツイートは実に2万人以上にリツイートされ、ネットで大騒ぎになりました。熊本市の動物園には問い合わせが殺到。デマが業務を妨害したとして、その後に神奈川県に住む当時20歳の会社員の男が偽計(ぎけい)業務妨害の疑いで逮捕されました。デマによる偽計業務妨害の逮捕は、これが初めてでした（不起訴処分）。
地震直後の熊本の人たちの不安な心情を思えば、悪質なデマを流した男の逮捕は当然であったと思いますが、一方であのツイートは当初、「出来の悪いネタ」として一部のネット民の間では嘲笑の対象になっていたのです。


彼らはまず写真に写る信号機や路上にひかれたラインなどを見て、

「これ、ほんとに日本か？」と疑い、さらに、

「熊本市内をライオンが歩いていたら、もっと目撃情報があるはずでは？」

「なぜこの写真しかあがってこないの？」

「そもそもライオンが逃げたら、動物園や警察や行政が大騒ぎするだろう。何も発表がないなんて絶対おかしい」

「だいたいこの写真、誰が撮影したんだ？」

「それをなぜ投稿者が入手して、ツイッターにあげるんだ？」

等々、**不自然なことが多すぎると直観的に疑い、「これ、フェイクだろ！」と最初から確信していたわけです。**


実際、この写真はのちに、南アフリカのヨハネスブルクで映画の撮影のために撮ら

れたもので、ライオンの名前がコロンブスということまで明らかになります。

つまり最初にあのツイートに食いついた人たちは、デマというよりネタだと明確に理解したうえでリツイートしたのです。

熊本で大きな地震が起きたというのに、こんなバカなことをやっているやつがいるぞ、と。

ところが、地震直後で熊本関連の情報がただでさえ拡散しやすい状況であったことから、ネタのつもりだったツイートが拡散力を獲得し、SNSのリテラシーに通じていない人たちのところまで到達。

「大変だ、みんなに知らせなきゃ！」と使命感にかられてリツイートすることで、一気に拡散されてしまいました。

その結果、正義感にかられて「お前ら何をやっているんだ」と動物園の管理責任を問う声まで殺到してしまったわけです。

そこから見えてくるのは、次の二つの点です。

①ネットのウソを見抜くリテラシーの欠如
②過剰な使命感や正義感の発動

先の常磐道煽り運転事件では、まったく別人の女性をガラケー女と断定するデマがネット上に拡散したわけですが、やはり根拠のない情報を鵜呑みにし、「あの女、許せない」という過剰な正義感の発動から多くの人がデマの拡散に加担、女性への攻撃につながってしまいました。

炎上事件に象徴的に見られるように、ネットでは怒りのベクトルが一斉に同じ方向に向きやすく、正義感が暴走しやすいのです。

○SNSのフェイク情報を信じて逮捕された男性

ネットやSNSの普及によって、誰でも簡単にさまざまな情報にアクセスできるだけでなく、自ら発信することもできるようになりました。

しかしネットにはウソが多い。ウソだらけと言ってもいいでしょう。まずその事実

をしっかりと受け止めることです。

たとえばWikipediaというネット上の有名な百科事典がありますが、警察関係者はあれを使いません。明らかなウソや不確かな情報が少なくないからです。

ネット上には無責任なウソが氾濫（はんらん）しています。それを信じて行動すると、とんでもないしっぺ返しを食らうことにもなりかねません。

こんな事例があります。

ある男がオービス（速度違反自動取り締まり装置）にかかり、制限時速40kmの道路を時速78kmで走行したとして速度超過で逮捕されました。

しかし、通常はこのレベルの速度超過では、逮捕まではされません。**ではなぜ逮捕されたかというと、ネットのデマを信じて警察からの出頭要請を拒み続けたからです。**男が信じたネットのデマというのは、こういうものです。

オービスの写真に写った車のナンバーから車検証の持ち主の住所に通知が届く➡写真1枚では本人と断定できない➡上申書に「運転していたのは自分ではない。車は第三者に貸していたが、その人の名前は明かせない」と書いて警察に提出➡出頭を拒めば大丈夫――。

このデマを信じて逮捕された人は、1人や2人ではありません。

素直に警察の出頭命令に応じていれば、逮捕までされることはなかったのです。

こうしたネットのデマに騙されないようにするには、

①ネットの情報を鵜呑みにしない

②エビデンス（根拠）があるのかを必ず確認する

この二つを習慣にすることです。

本当かどうかは、たとえばその情報に関係する組織や機関に問い合わせをすれば、すぐに確認がとれるはずです。あるいは本当の情報であれば、根拠となる文献などの一次資料が必ずあります。それが見つからない情報は、基本的にどこまで根拠のしっかりした話なのかわからないということです。

そういう裏付けのとれない話がまわってきたときは、絶対に拡散しないようにしましょう。デマに加担することになりかねません。

○自分の「知っている」を疑え

「みなさん、ローソンの看板を知っていますか?」

各地の学校を訪ねて私が講演をするとき、よく学生たちにそう質問します。

すると、ほとんどの学生が手を挙げます。

「じゃあ、ローソンの看板を描いてみてください」

そう言うと、正確に描ける学生はまずいません。

「LAWSON」「STATION」をスペルも間違えずに書けたら立派なもので、青地に白のミルク缶マークまでちゃんと描ける学生は皆無(かいむ)と言っていいでしょう。

ミルク缶はまず描けません。牛乳瓶が多い。

「実はこれが答えですよ」と見せると、みんな、「あーっ、そうか」と驚きます。

自分では知っていると思っていたローソンの看板を、実はほとんど知らなかったことに気づくわけです。

でも、そこで私はさらにこう問いかけます。

「これって、本当にローソンの看板？　私がウソをついてるかもしれませんよ」

学生たちは、「えーっ」と一斉に声をあげ、困惑の表情を見せます。

結局、ローソンの看板というものを漠然としたイメージでしかとらえていないのです。だから、「これ、本物？」と言われたら「どうだろう……」と答えに困ってしまう。

おそらく「ＬＡＷＳＯＮ」の代わりに「ＬＡＭＥＮ」、ミルク缶の代わりにラーメンどんぶりが描かれていたとしても、青地に白い看板であったら、案外人はその偽看板に気づかないまま、ローソンだと思って店に入るのではないかと思います。

それぐらい人は物事を漠然と抽象的にとらえていることが多いのです。

にもかかわらず思ってしまう。「自分はローソンの看板を知っているし、描けと言われれば描ける」と。

しかし、この自分の「知っている」ほど当てにならないものはないのです。

そんな人間心理を見事なまでに突いてくるのが「振り込め詐欺」です。

被害に遭う親御さんは、「あれは息子の声だ」と思い込んでしまう。

銀行に振り込みに行って、行員さんから、

「本当に息子さんでしたか？　電話をして確認されましたか？」

と言われても、

「いや間違いない。あれは息子の声だ」

と聞く耳を持ちません。

「自分は息子の声をよく知っている。間違えるはずがない」

と信じてしまっているのです。

でも、振り込め詐欺で息子さんを騙って電話をかけてくる人間は、当たり前ですが、親御さんの知っている息子さんの声とは違います。

ですから、振り込め詐欺の電話を受けた人は、たいてい少しは違和感を持ちます。

ところが、それでも騙されてしまうのは、「風邪をひいて鼻が詰まるし、喉が痛い。ちょっと声が出なくて」などという見え透いたウソをなぜか疑いもせずに信じてしまったり、あるいは、「突然のトラブルに狼狽し、声がうわずっているんだろう」などと、息子の身の上に生じた突然のトラブルに心を寄せることで、違和感を打ち消してしまうからです。

しかしこの世の中に、自分の子どものうわずった声や風邪をひいたときの声を「知っている」と自信を持って言える親が、果たしてどれだけいるでしょうか。

私はまったく自信がありません。

なのに「今日の午後3時までに300万円を入金しないと大変なことになる」などと、切羽詰まって震えるような声で言われてしまうと、「本当に息子か?」と疑うどころか、「待ってろ、いますぐ振り込むから」と銀行へ駆け出してしまう。

「自分は息子の声を知っている」という先入観が、すべての疑念を遮断してしまうの

です。

では、振り込め詐欺にひっかからない人はどういうタイプだと思いますか？

これはもうはっきりしています。意識の中で「無知の知」を信条として生きている人です。

無知の知とは、「無知であることを知っていること」。つまり、「自分がいかにわかっていないかを自覚する」ということです。

自らにそう言い聞かせて生きている人は、「自分は知らないことが多いから悪いやつに騙されるかもしれない」と謙虚になれる。だから、

「もしもし、オレ。父さん、実は困ったことが起きちゃって……」

などと電話がかかってきても、「本当に息子か？」と冷静になれるのです。

逆に「自分は何でも知っている。誰にも騙されない」と思っている人ほど騙されやすい。先入観や思い込みの強さから、冷静さを欠く傾向があるからです。

○ SNSの「#闇バイト」に行ったら、戻ってこられない

振り込め詐欺では現金を引き出したり、キャッシュカードを受け取ったりする「受け子」が必要になります。

そこで反社会的勢力は、SNSを通じてその募集を行ないます。

よくあるパターンとしては、Twitterで「これをリツイートしたら1万円あげるよ」とツイートをします。お金に興味がある人はそれを言われた通りリツイートします。するど本当に1万円をあげるんです。リツイートしただけで1万円です。

「うぉーっ、ラッキー！」

遊びたいけどお金がない大学生などは大喜びです。

次に反社会的勢力は、リツイートした人たちに声をかけてパーティーをします。かわいい女の子も集めた、けっこう派手目のパーティーです。

「ここのお金はいいよ」と言ってタダで飲み食いさせます。貧乏学生はすっかりいい

気分になり、舞い上がってしまいます。

そうやってお金に興味のある学生などをどんどん集め、頃合いを見計らったところで、こう切り出します。

「いいバイトがあるよ、やらない？」

その仕事は、大麻や覚醒剤の販売だったり、振り込め詐欺の受け子だったりします。これに一度でも手を出せば、二度と抜けられなくなります。

Twitterを覗いてみると、闇バイトの募集告知が溢れています。

たとえば——。

「ブラック案件。日当10~20万円　#闇バイト」

「大阪で運びあります。平均日当5~10万円　#闇バイト」

闇バイトというのは、要するに振り込め詐欺の受け子のような特殊詐欺の要員の仕事です。犯罪行為の片棒を担ぐことを考えれば、高額報酬でも到底割に合わない話ですが、実際には自らその違法な受け子の仕事を求める人も少なくないのが実情です。

試しにツイッターで「#受け子」や「#闇バイト」などで検索をしてみれば、次のようなツイートが大量に見つかるはずです。

「早急にお金が必要なんです。
カードは怖いんで生ウケの仕事ある方いませんか?
明日動けます
#ブラック　#闇バイト　#裏バイト　#受け子」

ネット上には多くの罠が潜んでいます。自らその闇の中へ落ちていくのを見るのは、元警察官として非常につらいものがあります。

一度そこに手を出せば、この先ずっと闇の世界をさまよい続ける可能性が高いからです。ネットのリテラシーの必要性を痛感します。

○ 薬物は、SNSで学生まで広がっている

警察庁の調べによれば、2018年の1年間の大麻事件の摘発者数は、前年より570人増の3578人で過去最多でした。中高生が前年の約1・5倍になるなど若年層の増加が目立ちます（警察庁「平成30年における組織犯罪の情勢」）。

その背景には中高生の間に広まる大麻容認論――「たばこやアルコールのほうが害は大きい」「海外では合法の国もある」など――があるとされています。

その是非を論じるだけの科学的な知見を持ちませんので深入りしませんが、日本では違法であり、大麻を所持したり使用したりすれば、逮捕されることになります。法は守らなければなりません。

中高生に大麻が広がっているのは、容認論に加えてSNSの拡大普及で購入が容易になっていることも大きいです。取引に際しては、大麻＝「野菜」、覚せい剤＝「アイス」「氷」、手渡し＝「手押し」といった隠語が使われます。

親御さんも、お子さんがこうしたものに近づいていないか気をつけてください。Twitterでハッシュタグ検索をしてみれば、次のようなツイートが大量に見つかるはずです。

「本日都内にて手押ししてます
1個6000になります
テレグラムにツイッターアカウントのスクショと一緒に連絡下さい
#野菜　#手押し　#東京」

「1個6000」は1g6000円のこと。末端価格としては標準的です。**中高生でも手が出せる値段で、これもまた中高生の間で大麻が広がる原因になっています。**ほしい人は「#野菜」「#手押し」などで検索して売人を探したら、DMで注文できてしまいます（**そもそも警察はSNSでこうした隠語を監視していますので、購入は簡単でもすぐに捕まることをお忘れなく**）。

大麻を売る側は足がつかないように他人名義や架空名義（偽造身分証などを用いて）のスマホ（携帯電話）、いわゆる飛ばしのスマホ（携帯電話）を使いますが、**中高生はそんなことはできませんから、当然自分のスマホで取引します。送ってもらう際には、平気で送付先を自宅の住所にしたりもします。**

このため警察が売人をつかまえ、携帯を一つ押収してしまえば、芋づる式に中高生も捕まります。中高生は連絡の痕跡（こんせき）を多数残しているので簡単に逮捕されるのです。

大麻はゲートウェイドラッグと呼ばれ、覚せい剤への入口になっています。先頃かつての人気タレントが覚せい剤所持の現行犯で5度目の逮捕をされましたが、覚せい剤は一度手を出すとなかなかやめられない、とても恐ろしい薬物です。

何事も好奇心を持つのは素晴らしい。**でも大麻はいけません。覚せい剤の使用につながる可能性が高い。**実際、破滅の人生へと転落した若者を何人も見ました。そんな悲劇を味わってほしくないのです。

わが子を破壊させない「スマホの持たせ方」

○ 子どものスマホデビューはいつがいいのか？

日本スマートフォンセキュリティ協会の調べによれば、**子どもにスマホを持たせた時期で最も多いのは高校1年で、以下、②中学1年、③小学校高学年（4〜6年）、④中学3年、⑤中学2年、⑥小学校低学年（1〜3年）と続きます**（日本スマートフォンセキュリティ協会「中高生スマホ利用傾向調査レポート」2019年2月）。

中学・高校の進学時に持たせるようになった親御さんが多いことがわかります。

実際、中学・高校の父兄のみなさんとお話ししてみると、「娘には中学生まで持たせません」とか「高校生になるまでは買い与えません」という人が多い。

データは実感とも合っています。

ただしそうしたデータの一方で、スマホ利用の低年齢化は年々急速に進んでいます。**内閣府の調べによれば、自分専用のスマホでネットをしている子どもの割合は、小学生で35・9％、中学生で78・0％、高校生では99・4％になります**（内閣府「平成30年度 青少年のインターネット利用環境実態調査」2019年2月）。

親御さんにとって小学生からスマホを持たせるメリットとしては、主に以下のことなどが考えられます。

①子どもとの連絡手段として役立つ
②GPS機能で居場所がわかる
③勉強に使える
④IT機器の操作に慣れる
⑤ネットのリテラシーが学べる

小学生になれば、通学だけでなく習い事や買い物などで、1人で行動する機会も増えます。連絡手段や居場所の確認手段としての役割は大きいはずです。

また勉強にも使えます。子ども向けの教育系アプリがたくさんありますから、言葉や漢字や英単語などを覚えたり、算数の勉強などをすることができます。

わからないことを自分で調べるという習慣を身につけるにも有効です。

しかも、使いながらこれからの時代に不可欠なＩＴ機器の知識や仕組みについて自然と学び、ネットのリテラシーを学ぶこともできます。

２０２０年４月からは英語が小学校の教科になり、プログラミング教育も必修になりますから、スマホの必要性が今後さらに増すのは確実なのです。

とはいえ、小学生からスマホを持たせることには、もちろんデメリットもあります。

たとえば、以下のものなどがそうです。

①スマホ（ゲームや動画やＳＮＳなど）に夢中になり勉強時間が減る
②有害サイト（性、暴力、自殺など）を見てしまう

③ＳＮＳでいじめや犯罪などのトラブルに巻き込まれる
④スマホでは学べない実体験が減る

①〜③については説明の必要はないでしょう。おそらく「小学生でスマホなんてとんでもない」と考えている親御さんの多くが、これらをその理由としているはずです。**他方、意外とみなさんが気づいていないのは、④の「スマホでは学べない実体験が減る」ことです。**

いまや、「ネットで調べればたいていのことはわかる」と言われる時代ですが、実際にはフェイクが多いですし、たとえ書いてあることが事実であったとしても、それを文章や画像や動画だけで知っているのと、実体験として知っているのとでは、まるで意味が違います。

たとえば、「氷は冷たい」とか「きりんの首は長い」という事実は、文字や映像や画像を通じて知識としては得られますが、その冷たさや長さは実際に触ったり、見てみないと実感としては理解できません。

実体験から得た知識は、驚きや感動とともに記憶に定着しやすい。好奇心が刺激され、そこからさらに学びが広がります。多くの教育専門家が指摘する学習効果です。ところがスマホに夢中になると、この現実の世界での学びが減ってしまいます。**実体験をともなわない知識には驚きや感動が少ないので、学びの広がりにつながりにくいのです。**

また、スマホばかりやっていたのでは、人とのコミュニケーション能力を育てるという意味でも問題があります。

対人コミュニケーションの能力は、ネットの世界ではなく、生身の人間同士の付き合いの中で鍛(きた)えられ、育(はぐく)まれていくものだからです。

それらの学びの機会がスマホに夢中になることで減少してしまうと、デジタル社会を生きていくうえで不可欠な「直観力」(すべての情報を客観的に取り入れて観察・判断できる力)も身につかなくなってしまいます。

少女たちがSNSで知り合った悪意ある大人に会いに行ってしまうのも、不適切動画に象徴される若い世代のＳＮＳトラブルも、この直観力の欠如による誤った自己判断があるのではないかと思っています。

この点については第４章で改めてお話ししたいと思います。

いずれにしろ小学生から子どもにスマホデビューをさせる場合は、現実世界での実体験の減少も含めたスマホのデメリットへの対策が必須になるといえます。

○子どものスマホの管理方法

「ペアレンタルコントロール」という言葉があります。

一般に有害サイトやアプリの使用を制限することをフィルタリングと言いますが、ペアレンタルコントロールはそのフィルタリングに加えて、スマホの利用時間や利用時間帯の制限、アプリの課金制限、発着信の制限など、より幅広く子どものスマホを管理することを言います。フィルタリングよりも広い概念です。

設定したほうがいいペアレンタルコントロールには、主に以下のものがあります。

①有害サイトの閲覧制限
②利用時間の制限
③アプリのインストールと利用の制限
④課金の制限

①のアダルトサイトや薬物情報などの有害・違法サイトは、子どもが目にすること自体が有害であるうえに、ネット詐欺や犯罪などに巻き込まれる可能性もあります。閲覧自体をできないように制限しましょう。

また、②のスマホの利用時間を決めることも大切です。

内閣府の調べでは、平日の1日にスマホで2時間以上ネットを利用する青少年の割合は、小学生が18・6%、中学生が51・8%、高校生が76・5%。平均時間では小学生が61・1分、中学生が125・0分、高校生が175・6分となっています（内閣府「平成30年度 青少年のインターネット利用環境実態調査」2019年3月）。

しかし、東北大学加齢医学研究所の川島隆太所長が、仙台市教育委員会の協力を得て行なった9年にも及ぶ追跡調査によると、**家庭での勉強時間が3時間以上（平均睡眠時間は7〜8時間）の生徒の場合、スマホ使用が1日1時間未満の子どもたちの偏差値が57・2だったのに対し、1時間以上使う子どもたちの偏差値は52・6まで下がったことが明らかになっています**（『週刊新潮』2019年8月15・22日号）。

ちなみに、家庭での勉強時間が30分未満でも、スマホ使用が1時間未満という子どもたちは偏差値が50を超えていました。

つまり、たとえ3時間以上勉強をしていても、スマホを1時間以上使用すると、勉強時間が30分未満の生徒とほぼ同じ成績になってしまう、ということです。

学業に支障が出るのを防ぐには、子どもと話し合って、利用時間の制限を設けるといいでしょう。

無限に使えると思うと、永久にメッセージアプリで友達と連絡をとり続けることにもなりますし、**反対に限られた時間の中で、自分にとって本当に大事なことだけにス**

マホを使えるというのは、自制心や工夫する力の育成にもつながります（毎月決まったお小遣いを上手に使うのと同じです）。

スマホの利用時間を減らした分は、リアルの世界でしか体験できないこと——たとえば、親子で一緒に夜空を見上げて星を見たり、近くの野山で自然観察をしたりする——に充てると親子のコミュニケーションも深まるはずです。

そして、③のアプリが無制限にインストールされるのを防ぐのも大事です。**出会い系などの有害なアプリの使用やゲームのやりすぎなどを防止できます。**

ネット上には、子どもが夢中になるゲームアプリが無限に存在します。無制限にインストールして遊べる環境であれば、中毒になる恐れが大きい。

それに無料だからとインストールしたアプリが、個人情報の詐取（さしゅ）を狙った不正アプリで、子どもがよくわからないまま位置情報やスマホ内の情報へのアクセス権限を与えてしまい、個人情報を盗まれる可能性もあります。

だからこそ、子どものスマホのアプリの管理は必須なのです。

加えて、それに関連して④の課金の制限も必要です。

無料でプレイできるアプリでも、レベルを上げてほかのプレイヤーに勝てるようになるためには、課金して有料プレイになることが多くあります。

中には、月々の請求書が携帯会社から届いたところ、身に覚えのない100万円以上の請求がいきなりきて、その原因は子どもの課金だった、という報告も多数上がっています。

子どもは、課金した額を稼ぐ大変さをまだ理解できておらず、親の目よりもその場の欲求が勝ってしまうこともあります。

最初にスマホを持たせる際に、あらかじめゲームアプリなどで勝手に課金できない制限を加えることは、必須です。

内閣府の調べによれば、スマホでネットを利用する子どもの保護者で「フィルタリングを使っている」は小学生の保護者で22・5%、中学生の保護者では40・4%、高校生の保護者では40・2%にとどまります（内閣府「平成30年度 青少年のインターネット利用環境実態調査」2019年2月)。

この数字の低さが、子どもたちがネットで犯罪などに巻き込まれる一つの背景になっているように思います。

ペアレンタルコントロールは、iPhoneでは「スクリーンタイム」(iOS12以降)、Androidでは「Googleファミリーリンク」というサービスが無料で利用できます(「スクリーンタイム」は設定アイコンから、「Googleファミリーリンク」はPlayストアからアプリをインストール)。

ここではそのサービスの存在をお知らせするにとどめますが、試しに検索をしてみていただければ、細かな設定方法が出てくるはずです。

これらのサービスでは、スマホが使用できなくなる休止時間の設定、アプリの利用時間の制限、不適切なコンテンツを閲覧できないようにする設定、アプリの課金や購入に関する設定などができ、親が設定したパスコードを入力しないと利用できないようにすることができます。

また、そのほかにもスマホの制限を行なうサービスは多数の企業が提供しています。代表的なのは大手キャリアのフィルタリング機能です。サービスの内容をよく確認して適切に利用するようにしてください。

○スマホの利用制限をする前には、必ず親子で話し合いを

先ほどの内閣府のデータを見てもわかるように、現状ではフィルタリングも含めたペアレンタルコントロールの意識は、残念ながら必ずしも高いとはいえません。

それでも多くのご家庭では、子どものスマホ利用に関して、

- 居間で使用すること
- 食事中は触ってはいけない
- 使っていいのは21時まで
- アプリをインストールするときは必ず伝えること
- SNSは中学生になってから

● 困ったことがあれば必ず相談すること

などのルールを親子で決めているケースは多いようです。

しかし、一方的なルールばかりだと、子ども側のフラストレーションが溜まるのもまた事実です。

実際、とあるフィルタリングアプリの評価コメント欄には「制限される身にもなれ!」「人の青春を奪うな!!」と親やサービスへの不満が溢れていたりもしています。

だからこそ、ルールを決める際には、

①ルールの必要性をきちんと説明して子どもに理解してもらう
②子どもの希望も聞いてルールに反映させる

この二つの点が大事です。

そうやって双方がちゃんと向き合い、納得したうえでルールを決める。親からの一

方的な押しつけのルールでは、子どもは真面目に守ろうとは思いません。

自分も一緒に決めたルールにすることで、守ろうという意識も強くなります。

また、スマホを使っていてどうしても不便、不都合だと子どもが主張し、それが十分に納得できるものであれば、がんじがらめに縛りつけるのではなく、臨機応変にルールを変更することも必要です。

要はスマホの利用制限の目的を互いに理解し、過度な学力低下や生活上の危険を回避できるようになればいいのです。

そして、この章の最後に大事なことをあと二つ。

一つはネットのリスクを日頃から子どもに伝え、ネットのリテラシーを高めておくこと。もう一つは親自身のネットリテラシーも常にアップデートして高める努力を怠らないことです。

子どもはスマホに習熟してくると、ペアレンタルコントロールの設定を無効化したり、かいくぐる術を覚えるようになります。

実際、YouTubeなどで「スクリーンタイム」「Googleファミリーリンク」と検索をかければ、制限の突破方法を紹介する動画もアップされており、システム上のバグや抜け穴を突くなど、驚かされるものもあります。

中学生、高校生になれば、スマホの使い方は親より子どものほうがよくわかっていると考えたほうがいい。そのときネットのリテラシーがともなわないと、SNSなどを介してさまざまな犯罪被害に遭う恐れが強くなるのです。

ネットのリスクを日頃から子どもに伝え、リテラシーを高める——そのためには親御さん自身が常にネットのリスクに敏感になってリテラシーを最新の状態にしておく、ということでもあります。

これを怠り、新手のネット詐欺などにかかって、親が子どもの名前や顔写真などを含む個人情報を丸ごと盗まれたりしたのでは話になりません。

ネットリテラシーは、子どもだけでなく親もしっかり身につける必要があるのです。

第4章

進み続けるデジタル社会で必要な力

スマホが奪うコミュニケーション能力

若者の半数が相手の目を見て話せない

2人に1人が他人の視線が怖い――。

化粧品メーカーのマンダムが行なった調査に「視線耐性」（相手からの視線に耐えられる力）に関する実に興味深いデータがあります（マンダム「視線耐性とデジタルコミュニケーションに関する調査」2018年8月）。

それによると、全世代の半数以上（56・5%）**が他者の視線に「ストレス」を感じており、この傾向は30〜50代で48・8%、10〜20代で67・6%と若い世代ほど顕著になっています。**

同様に他者の視線が「怖い」と感じる割合は、全世代では約半数（47・4%）だった割合が、10〜20代では6割以上（61・8%）。

相手の目を見て話すことが「苦手」と答えた割合も、全世代で4割強（43・8%）だったものが、10〜20代では5割以上（53・5%）と、若い世代ほど視線耐性が低いことがわかります。

またマンダムの調査では、その背景にあるものを調べる一環として、友達と仲良くなるための「コミュニケーションツールは？」という問いもしています。

それによると、若い世代ほどLINEなどのメッセージアプリをコミュニケーションツールとして挙げ（40〜50代では10・1%のところ、10〜20代では31・5%）、「別れ話」でさえ10代では女性の4人に1人、男性の5人に1人がLINEで行なうという実態が浮き彫りになりました。

マンダムはこの事実に着目し、若年世代ほどコミュニケーションの手段がデジタルにシフトしている点を指摘しています。

いまの10代、20代は、物心ついた頃からネットやスマホに触れてきたデジタルネイティブの世代。体調不良などで会社を休む連絡もLINEでするケースが出てきて、議論になっているほどです。

では、なぜそのことが視線耐性の低下につながっているのでしょうか。

この点についてマンダムの調査では、「デジタル依存しており、人ともあまり接せず、リアルでの自分に自信が持てない方は、視線耐性が低い傾向にある」との早稲田大学国際教養学部の森川友義(もりかわとものり)教授のコメントを紹介しています。

つまり、ネットやスマホばかりをやっていて、リアルの現実世界での人付き合いが少なく、また自信につながるような成功体験にも乏(とぼ)しいと、相手の目を見て話せなくなる恐れが強い、ということです。

そしてそのことが原因で、ますますネットやスマホの中に閉じこもるようになる。その結果生じる弊害の一つが、コミュニケーション能力の不足なのです。

コミュニケーション能力は、通常、生身の人間とどれだけ付き合い、かかわってきたかの対人経験値に比例します。

ネットやスマホばかりでリアルの世界での人付き合いが少ないと、対人経験値が積めず、コミュニケーション能力が鍛えられなくなってしまいます。

実はその影響がもろに出てしまっているのが、この後に紹介するネット上でのコミュニケーションなのです。

○ 誤解が生まれやすいSNSの言葉たち

私たちは普通、人と話す場合、言葉だけでなく表情や仕草なども含めてコミュニケーションを図っています。

「言葉＋非言語の表情や仕草」のコミュニケーションです。

たとえば、友達同士で「お前、バカだな」と言っても、顔が笑っていれば、相手に悪気がないことはわかりますし、こちらの不手際に対して相手が「大丈夫ですよ」と口では言っても、目がキッと吊り上がっていれば、やっぱり怒っているんだなと理解できます。

ところが、ネットにおけるLINEなどのSNSでは、基本的に言葉だけのコミュニケーションです。相手の表情や仕草は見えません。「お前、バカだな」は、笑顔のないまま相手のスマホの画面にストレートに現われるのです。

このためSNSの世界では、自分の発した言葉が、意図したこととは違った意味やニュアンスに取られて、相手を傷つけたり、怒らせたりして、喧嘩(けんか)になったり、いじめに遭ったりといったことがしばしば起こります。

それを説明する事例としてよく紹介されるのは、LINEにおける次のような会話です。

A太「映画を観に行かない?」
B夫「行く!」
C美「私も行きたい!」
D奈「なんでくるの?」
C美「……」

このとき、D奈さんの「なんでくるの？」は、C美さんに「どうやってくるのか」と交通手段をたずねたつもりでしたが、C美さんは「なぜあなたがくるのか。迷惑だ、こないでほしい」と受け取ってしまい、絶句したわけです。

同様に勘違いしやすい言葉には、「大丈夫」「いいよ」「おかしい」などもあります。「大丈夫」や「いいよ」は、ともにOKとか了解の意味で使うだけでなく、必要ありませんの意味で使うこともあります。

また「おかしい」は可笑しい、面白いのほか、変だ、変わっている、という意味でも使います。まるで逆の意味にとられる可能性があるわけです。

これらは単純な言葉の行き違いですが、ネット上の言葉だけのやりとりでは、人はしばしば字面（じづら）だけを見て、そこに余計な意味を嗅（か）ぎとろうとします。

たとえば先日、こんなことがありました。

友人と待ち合わせをしているとき、

「ちょっと悪い、遅れるわ」

とLINEが入りました。別に困ることもなかったので、

「わかった、あいよ」

と返しました。するとすぐに、

「お前、怒ってんの？」

と返事がきました。

「えっ、何で？　全然怒ってないよ」

と返したのですが、「わかった、あいよ」が何かとても不愛想で、ひどく怒っていると相手は思ってしまったようです。


友人の間でもこういうことが起こるわけですから、ましてや赤の他人が匿名同士で交流するSNSの世界では、なおのこと意図した通りにコミュニケーションをとるのは難しくなります。

総務省の調査によれば、SNSでのトラブル経験は若い世代ほど多く、20代以下では26・0％にのぼります（総務省「平成27年版 情報通信白書」）。4人に1人です。

これは、SNSの利用率の高さとともに、上の世代に比べて対人経験値が低いことも背景にあるのでしょう。

SNSでトラブルになる人の中には、子どもの頃からネットやスマホばかりやっていて、対人経験や自信につながるような成功体験を積み上げられなかった、「相手の目を見て話せないコミュニケーション能力に欠けるタイプ」が少なからずいると思われます。

そこには現実世界の自信のなさの裏返しで、匿名を隠れ蓑に強者を装い、誹謗中傷を繰り返すような人物も含まれるわけです。

面と向かってのコミュニケーションが足りていない彼らには、傷つく相手の痛みや悲しみが見えませんから、人を傷つける感覚が鈍（にぶ）くなり、仮想と現実の境界を飛び越えて、リアルの現実世界でも誹謗中傷するようになることがあるのです。

それが最悪の形で現われたのが、2018年6月に起きた有名ブロガーのOさん（当時41歳）殺人事件でした。IT関係の講師をしていたOさんが、当時42歳の男に出張先の福岡で刺殺された事件です。

犯人の男は、ネット上のあるサービスでユーザーたちを「低能」と繰り返し誹謗中傷していたことから「低能先生」と呼ばれ、ユーザーたちから「ネット弁慶」（ネットでは強気だが、実生活では小心者）だと指摘され、頻繁に運営に通報されていました。

すると犯人の男は、度重なるアカウント凍結に次第に腹を立て、あるとき「低能先生」を運営に通報したことをブログに記したOさんが、自分の住む福岡に出張することを知り、殺人にまで及んでしまったのです。

ネットの世界では威勢のいい振る舞いをしていても、現実世界では誰にも認められずイライラを募らせている――。

ネットにはまり込んでしまった人にはそんなタイプが少なくありません。ユーザーたちの「ネット弁慶」の指摘は、男にとって殺意を抱くほどに図星（ずぼし）だったのでしょう。互いに顔を知らない人同士がネット上で揉めることは珍しくありませんが、それが殺人にまで至ったのは、この事件が日本で最初ではないかと述べる識者もいます。

ネットのトラブルが招いた最悪の結末で、言葉だけのコミュニケーションの難しさ

が改めて浮き彫りになりました。

こうしたことから、SNSの世界では、以前から人の表情や仕草の代わりに絵文字を使って言葉を補うのが一般的になっています。LINEのスタンプ機能はその代表的な存在です。

ただし、絵文字を使えば意図した内容が正しく伝わるかというと、そうでもありません。たとえば、女性が何気なくつけた笑顔やハートマークが「ひょっとしてオレに気があるのか？」などと男性を勘違いさせることはよくあることです。

そのほかにも、「お前、バカだな」に笑顔のマークをつけた場合は、悪意のない冗談とも、侮蔑（ぶべつ）のニュアンスを含む嘲笑ともとれます。

さらには、送られてきた絵文字が意味不明で、どう返せばいいか困った経験をお持ちの方も少なくないはずです。

絵文字は言葉を補うのに有効ではありますが、リアルの世界でお互いに顔を見ながら話すようなわけにはいかないのです。

私の場合、自分の送った文章を相手が明らかに勘違いしているとわかったときは、すぐに電話をして誤解を解くか、なるべく早く会って話をするようにしています。

ネット上で生じた誤解は、リアルの世界で顔を見ながら話せば、たいてい簡単に解けるものです。

それには、相手の目を見て話せる当たり前のコミュニケーション能力が必須です。その意味でデジタル時代を生きる子どもたちに必要なのは、ネットやスマホだけではなく、対人経験や成功体験を積み上げ、リアルの世界で自信を持って生きられるようにすることです。

そうすればちゃんと目を見て話せる大人になれるし、ネット空間の言葉だけのコミュニケーションであっても大きくつまずくこともないはずです。

○ 子どものコミュニケーション能力を高めるには？

コミュニケーション能力は、リアルの世界でさまざまな人たちと多くの交流を持つことで鍛えられていきます。

その際、大事になるのは、話をするにしろ、聞くにしろ、相手のレベルに合わせることです。

たとえば、刑事をしていたとき、よく意見聴取のために大学の先生のところへ足を運んだのですが、行く前には必ずその先生の著書や論文に目を通しました。

当然ですが、自分のレベルを大学の先生の話が聞ける水準にまで上げておかないと、まともな情報が得られないからです。

専門用語が出てくるたびに、

「すみません、それはどういう意味ですか」

などと聞いていたら話が進みませんし、それこそ気難しい先生であれば、

「あなたはそんなことも知らないで私の話を聞きにきたんですか」

と怒られてしまう。コミュニケーションが成立しないのです。

逆に各地の学校に行って、たとえばインターネットのリスクについて講演をするときは、子どもたちにもわかるように話します。

なるべく難しいネットやＩＴの用語も使いません。大事なことはネットに潜んでいる怖い話を理解してもらうことですから、伝わらなかったら意味がない。子どもたちがわかるレベルに落とし込んで話すように心がけています。

そうやって相手の状況、知識量、人柄などを察知しながら自分のレベルを上下させる。それがコミュニケーションを上手にとるための一番のポイントです。

そして、これがよくわかっている人は、人とのコミュニケーションを通じて、どんどん自分を成長させることができます。

人と付き合うときは自分より優れた人物を選ぶようにしなさい——古くからよく言われてきた言葉ですが、これはなぜかというと、私が刑事時代にしたように、**優れた人と同じレベルで話をするためには、勉強をしないといけないからです。その勉強は必ず自分を成長させることにつながります。**

ある上場企業の社長さんからこんな話を聞いたことがあります。

その人は、いまは亡きアップルのスティーブ・ジョブズと１９９０年前後に一緒に仕事をしたことがあり、その際、ジョブズの文化や芸術に対する教養の深さに衝撃を受け、猛烈に勉強したのだそうです。
「そうしないと恥ずかしくて一緒に食事もできなかった。でもそのおかげで、いまでは海外の大物の経営者などと会っても臆することなく話ができる」と言います。
まさにコミュニケーションを通じて、自分を成長させた好例だと思います。

では、子どもの場合はどうすればいいのでしょうか。

——答えは、「質問をすること」です。

知人に中学校の先生がいますが、質問をする生徒は必ず伸びるといいます。

「無知の知」で、自分にはわからないことがあると自覚しているからこそ、わかる人に聞けるわけです。
子どもにとって質問をすることは、自分を成長させるための最良のコミュニケーションです。

スマホが奪う「直観力」

○直観力のない人は、自分で危険を回避できない

ネットやスマホへの過度の依存、対人経験・成功体験の不足は、相手の目を見て話せないコミュニケーション能力の低下をもたらすと書きましたが、**実はそれだけではなく、私たちが生きていくうえで欠かせない「直観力」の低下も招きます。**

では、直観とは何でしょう？

「直感（inspiration）」が感覚的に物事の本質を感じとる力だとすれば、「直観（intuition）」は知識と経験に基づいて物事を論理的に読み解く力と言えます。

- **直感＝感覚的に物事の本質を感じとる力**
- **直観＝知識と経験に基づいて物事を論理的に読み解く力**

よく刑事ドラマを見ていると「刑事のカン」というセリフが出てきますが、あれがまさに直観です。刑事にとって直観力は、犯人検挙のために欠かせないとても大事な能力です。

では、刑事以外は関係ないかというと、もちろんそんなことはありません。意識していないだけで、私たちは日常的にさまざまな場面で直観力を働かせながら生きています。

たとえば、ＳＮＳで次のようなアルバイトの募集を見つけたとします。

【アルバイト募集①】
○書類の受け取り
○日給２万円

○スーツ無償貸与（たいよ）

【アルバイト募集②】

○一緒に散歩（食事、写真）

○時給3000円（5000円、7000円）

これを見てすぐに、「怪しい！」と思った人は、直観力が正常に働いている証拠です。それまでの人生で積み上げてきた知識と経験から、

「書類を受け取るだけで日給2万円、しかもスーツ無償貸与なんて、どう考えても反社会的勢力がやってる危ない闇のバイトに違いない」

「一緒に散歩するだけで時給3000円って、これ、JKビジネスだろ！」

と論理的にその募集内容を読み解くことができているからです。

ところが世の中にはこれを見て、

「おーっ、これいいじゃん！　書類受け取るだけで2万円だって。オレ、絶対やる

わ！」

「散歩するだけで時給3000円！　超ラッキー！」

などと考え、すぐさま連絡を入れる人もいます。**知識や経験の蓄積が不十分で、募集内容の文面に潜む危険を読み解くだけの直観力がないのです。**

では、こんな「人物像当てクイズ」はどうでしょう。

私は子どもたちへの犯罪リスクの低減を目的にスクールポリス活動をしているのですが、各地の中学や高校でそうした講演をする際に、よく生徒たちに出す問題です。

次の事業家Aさんの人生は、上がり目ですか、下がり目ですか――？

【事業家Aさんの人物像】
○年齢は25歳です
○若手が頑張ってくれて、業績は右肩上がりです
○収入は昨年よりも激増です

○先月、高級ベンツを現金で買いました
○毎日、パーティーをしています

多くの生徒たちは、

「すごい！　若いのに会社の社長だ」

「ベンツを現金で買えるなんて、儲かってるんだな」

「毎日パーティーなんてうらやましい」

などとその成功をうらやみ、「上がり目」だと回答します。


それを確認してから、種明かしをします。

「このAという人物は、とても羽振りがよかったんですが、この後、詐欺罪や窃盗罪、組織的詐欺罪などで逮捕されました。特殊詐欺グループのリーダーだったんです」

「えーっ、そういうのがアリですか」

としばしばブーイングが出ます。

でも、こう言うとみんな納得してくれます。

「詐欺をする人が、自分は詐欺師だと名乗ってみんなの前に現われると思いますか？　そんなはずはないですよね、騙そうと思ってるんだから。

特殊詐欺をやるような反社会的勢力の人間は、一見すると真面目でエリートビジネスパーソンみたいなタイプが多い。とても悪い人には見えなかったりします。

その人が事業家Aのプロフィールであなたの前に現われて、今度うちでパーティーをやるからこない？　と誘われたら、みなさん、どうしますか？

いまの回答を見ると、若手のバリバリの社長さんに誘われちゃったと喜んで行く人が多いかもしれませんね。そうしたら振り込め詐欺の受け子をやらされて、あとで逮捕されちゃうかもしれませんよ。

事業家Aのプロフィールを見たら、25歳で高級ベンツを現金で買ったり、毎日パーティーをしていると書いてあるだけで、これはおかしい、普通じゃないと思わないといけない。それが常識的な判断です。起業してまともにビジネスを頑張っている25歳は、そんなことはしませんよ」

知識や経験に基づいた直観力を鍛えておかないと、物事を論理的に読み解くことができません。当然、適切に判断して行動することも難しくなります。

直観力は、私たちが生きていくうえでとても大切なものなのです。

○かつて「彼女の家電に出る怖い父親」によって、身についていたもの

いま、闇バイトに平気で足を踏み入れてしまうような、直観力に欠ける若い世代が増えています。

その背景にあるのが、これまでお伝えしてきたネットやスマホへの依存、対人経験・成功体験の不足で、中でもネットやスマホへの過度の依存が、大きな原因になっているのではないかと思います。

そもそもかつては人と会うこと自体、電話で話すこと自体が小さな成功体験でした。いまはそれが頭を使わずに簡単にできてしまう。

直観力は知識と経験がベースになるため、その獲得が不可欠になるわけですが、ネットやスマホが普及して以来、頭を使って知識と経験を得る機会がどんどん奪われる

ようになっているのです。

たとえば、電車でどこかへ行こうと思ったら、いまならスマホの乗換案内アプリに乗車駅と降車駅を入力すれば、経路も料金も所要時間も一発でわかります。

ところが携帯電話も含めてモバイルの端末が普及する以前は、最寄り路線の時刻表と首都圏や地下鉄の路線図を誰もが財布や手帳などに挟(はさ)んでいて、どこへ行くにもそれで確認していました。

初めて行く場所ならそれこそ一仕事でした。乗り換えの時間などは行ったことがないとわからないので、余裕を見て10分とるなどいろいろ工夫をしたものです。

あるいは好きな女の子ができて付き合う場合を考えても、固定電話しかない時代は、相手が自宅住まいであれば、両親が電話をとる可能性があるので、電話をすること自体が大変な壁であり、プレッシャーでした。

「父親が出たらこう話そう、母親が出たらこうしよう」とさまざまな応答シミュレーションをしたものです。
なのに、勇気を振り絞って相手の家電にかけたら、怖い父親が出て、「娘はもう寝た！」の一言でガチャンと切られたりする。とにかく連絡をとるのに一苦労でした。
ところがいまは、付き合い始めるのも別れるのもSNSで済んでしまう時代です。相手と連絡がとり合えるようになるまでの面倒な過程は、すべてカットできるのです。

こうした乗換案内アプリやSNSは、ネットやスマホの利便性をある意味象徴していいます。確かにすごく便利で役に立つ。私も使っていますし、もはや手放せないだろうと思います。

ただし、それらを利用することでカットされてしまった手間の部分というのは、さまざまな知識や経験を蓄積し、直観力を鍛えるという意味では、間違いなく貴重な機会でした。

若者にとって経路を考えたり、好きな女の子と連絡をとるための方法をあれこれ考えたりするのは、それ自体が日常の中の問題を解決する大事なトレーニングになって

いたからです。

たとえば電車の乗り換えであれば、自分では綿密に考えたつもりでも、よく乗り換えに失敗して約束の時間に間に合わなかったりしました。

女の子との連絡であれば、怖い父親の監視の目をかいくぐるために、「電話が3回コールして切れたら、それはオレだから、外の公衆電話から折り返し電話をしてほしい」などとサインまで考えたのに、いざ電話をすると女の子の妹がいつも長電話をしていて話し中だったりしました。

いまから思えばとんだ笑い話ですが、そうした失敗もまた貴重な教訓として刻まれ、「次はこうしよう」と新たな創意工夫につながりました。

人はそうやって失敗を繰り返すことで知識や経験を積み上げ、直観力を修正し、アップデートしていくのです。

それがいまでは乗換案内アプリのおかげで正解が瞬時にわかってしまう。失敗しようがありません。

時刻表や路線図を見ながらあれこれ考える時間はすべてネットやスマホにおまかせで、予定の到着時刻には間違いなく目的地に着けるのです。

女の子への連絡だってＳＮＳで簡単に済んでしまいます。

かつては存在した問題解決のためのプロセスが、丸ごとスルッとカットされ、いきなり正解だけが用意されている――。

これでは直観力を鍛えようがないのです。

○ なぜ、炎上動画を不適切だと感じない人がいるのか

各地の中学や高校にお邪魔して講演をするとき、よく学生たちに YouTuber の面白い動画を見せます。

連続して何本も見せるのですが、その中に一つだけネットで炎上して世間から袋叩きにあった不適切動画を挟んでおきます。

たとえば、駐車場で避難用の案内板などをサッカーボールで次々に破壊して炎上し

た動画などです。

学生たちはそれを見て、どういう反応を見せると思いますか?

「面白い!」と言って笑う生徒が少なくないのです。

笑った生徒たちに問いかけます。

「この動画、ほんとに面白い?」

「面白いです」

「でも、これ、犯罪だよ? それでも面白いの?」

そう言われて初めて生徒たちは、

「あっ……」と驚いた顔をします。

私に指摘されるまで、それが犯罪であることに気づいていないのです。

こうした自分のしていることや楽しんでいることが犯罪だと気づかない状態を「違法性の誤認」と言います。

昨今この状態の子どもが本当に増えています。というのも、これも直観力が欠如しているからなのです。

大事なことなので繰り返しますが、直観力とは知識や経験に基づいて物事を論理的に読み解く力です。それが正しく備わっていれば、不適切動画を見ても笑えるはずがない。そこに映っているのは犯罪行為ですから。

それなのに笑えてしまうということは、その生徒の直観力が、あるべき社会常識からズレてしまっているということです。

だから不適切動画を正しく読み解くことができず、「面白い」と思ってしまう。

その動画を見て笑えるのは、知識や経験不足から直観力に欠け、正しい判断ができない、という証拠なのです。

世間でどれだけ不適切動画が叩かれようが、次から次へとネットにあがってくるのは、それを投稿する人たちとそれを見て喜ぶ人たちの直観力が社会常識とズレているからです。

たとえば、ダチョウ倶楽部さんがテレビでおでん芸をするのは面白い。でもあれをコンビニの店内でやった動画を見せられたら、怒りや不快感しか沸いてこない。

「いったい何が面白いんだ」

「バカじゃねーか、こいつら」

それが世間の常識的な反応であり、直観力です。

ところが彼らは、ダチョウ倶楽部さんを真似してコンビニでふざけた動画のおでん芸も「面白い」と思い込んでいるのです。だから投稿を見て「いいね!」を押す。

完全に世間の価値観とズレてしまっているわけです。

しかも「いいね!」を押す人は、投稿した人と同じような、社会とズレた価値観を持っていますから、今度はこの「いいね!」を押した人が不適切動画を投稿する側にまわる。それを見た人間がまた「いいね!」を押して、次に投稿する側になる……。

それがネットの世界では延々と繰り返されていきます。

だから不適切動画はなくならないのです。

○「いいね！」やフォロワーの数で自分を評価しない

前にも述べたように、不適切動画が投稿される背景には、承認欲求としての「いいね！」をほしがる心理があるわけですが、そもそも「いいね！」やフォロワーの数を自分の評価の物差しにするのはやめたほうがいいと思います。

「いいね！」がほしくて不適切動画を投稿して炎上すれば、個人情報が晒されて一生デジタルタトゥーに苦しむことになりますし、フォロワーほしさに「いいね！」をしまくるのもどうかと思います。

いまどきの反社会的勢力は、お金がらみの投稿に「いいね！」を押している若者を振り込め詐欺の受け子にするために、SNSを物色していたりするものです。

何度でも言いますが、大事なことは「いいね！」やフォロワーの数に翻弄（ほんろう）されないことです。フォロワーを1000、2000と増やしていっても、その多くはどうでもいい無意味なアカウントで、実際に投稿をチェックするのは友人知人や限られた有名人などのアカウントが多いはずです。

基本的に情報を得るのが目的な人はともかく、自分から何かを発信するためにＳＮＳをやっている場合は、「いいね！」やフォロワーの数を気にし出すと、評価が下がるのを恐れて言いたいことも言えなくなってしまいます。

世間やネットの空気を読んで、ウケのよさそうな当たり障りのない投稿ばかりするなら、いったい何のためにＳＮＳをやっているのかという話です。

自分を着飾ったり、自分ではない何者かを装ったりしてまで「いいね！」やフォロワーの数をほしがるとしたら、承認欲求は相当に深刻なレベルにあると言わざるを得ません。

若い女性の中には、「いいね！」やフォロワーほしさに胸などを強調したセクシーな写真を投稿したりする人も少なくないのが実情です。下手をすれば、個人情報とともに一生ネットに残る可能性があることを理解していれば、できないはずの投稿です。

よく芸能人などのＳＮＳを見て、「いいね！」やフォロワーの数に憧れを持つ人がいますが、彼らの場合はそれ自体が宣伝のツールであり、ビジネスの一環です。ちゃんとプロの指南を受けていますから、私たち個人のSNSアカウントと比べても意味がありません。

それに「いいね!」やフォロワーの数なんて、実は誰でも簡単に買えるのを知っていますか? 「いいね!」1000個で1200円とか、フォロワー1000人で2000円とか、それくらいです。驚くほど安い。「いいね!」やフォロワーの価値というのは、そんなものなのです。

一般に、リアルな世界での自己肯定感の低い人ほど、ネット空間での承認欲求が強くなるとされています。これは直観力を鍛えるという観点からすると非常に問題です。リアルな世界で自己肯定感の低い人は、もともとネットやスマホへの依存度が高く、対人経験や成功体験も少ないため、直観力やコミュニケーション能力に欠ける傾向が強いと思われます。

こういう人が、リアルな世界での生きにくさからネットやスマホへの依存度をさらに高めると、直観力などを鍛える機会をますます喪失することになります。

そういう人に本当に必要なのは、SNSの「いいね！」やフォロワーの数ではなく、リアルな世界でのささやかな賞賛であり、ほんの数人でいい、信頼に足る友達です。

もしあなたが生死にかかわる窮地（きゅうち）に立たされたとき、SNSのフォロワーは助けにきてくれますか？

そんなとき何をおいても駆けつけてくれるのは、リアルな世界の友達しかいません。それがたとえたった1人であったとしても、その友達の価値はまさにプライスレス。SNSの1万人のフォロワーなど及びもつきません。

Facebookや傘下（さんか）のInstagramは、2019年夏以降、「いいね！」の数の非公開化などを試験的に開始したと発表しています。

「いいね！」やフォロワーの数に執着している人は、これを機にネットやスマホへの依存度を下げてみてはどうでしょう。

直観力やコミュニケーション能力を鍛えるよい機会になると思います。

デジタルとアナログの融合

スマホが使えなくなったら、どうしますか？

2018年12月6日午後、師走(しわす)の日本を大手キャリアの通信障害が襲い、約3000万人に影響が出ました。当時のTwitterをそのキャリアと「#通信障害」で検索すると、次のような声で溢れていました。


「悲鳴が上がっております……電話できない……！」

「圏外になるとスマホはただのゴミだということをいま痛感している」

「公衆電話様々やん！」

街では公衆電話に列ができ、待ち合わせ相手と連絡が取れないと頭を抱える人や、Wi-Fiスポットを探してさまよい歩く人が続出。宅配業者には再配達の通知が届かず、コンサート会場ではQRコードによる認証が不能に。まさにインフラの一部崩壊状態でした。

知人の娘さんがそのキャリアのユーザーで、後日会ったときにこうボヤいてました。

「スマホがなかったらお店や電車も調べられないし、LINEもできない。マジ生活できないと思う。それにしてもなんで公衆電話って100円玉入れるとお釣りが出ないの？　すっごいムカついたんだけど」

その娘さんは、通信障害の日に人生で初めて公衆電話を使ったそうですが、かけ方がわからず、人に教えてもらったそうです。

待ち合わせをしていた別のキャリアを使っている友人に、場所の確認だけしてすぐ電話を切ったので話したのはものの1分かそこら。にもかかわらず、お釣りが出てこなかったのがショックだったようです。

公衆電話を使っていた世代にとっては常識ですが、当時あの電話機の中にお釣りを出すシステムを構築するのは無理でした。だから100円の場合はお釣りが出ない。

それはさておき、物心がついた頃からネットにスマホが当たり前の世代では、公衆電話を使う機会はまずないと言っていいでしょう。

そこであるとき講演先の中学校で、生徒に公衆電話をかけてもらうことにしたのですが、やはりかけられませんでした。なぜなら使ったことがないから。

ある生徒は、

「10円玉を入れても落ちてきてしまうんですけど……」

と言います。見たら、受話器を上げてない。

また別の生徒は、

「カードを入れてもかけられないんですけど……」

と困り顔です。入れたのは、テレホンカードではなく、クオカードでした。

思わず笑いそうになりましたが、知らないから無理もないのです。

通信障害に限らず、スマホが壊れるなどして使えない状況になることは、十分に考えられます。非常時の連絡手段として、公衆電話のかけ方は覚えておいたほうがいいと思います。

実際、あるケースでは行方不明になっていた女子中学生が公衆電話から助けを求め、警察に無事保護されるという出来事もありました。

スマホの普及で公衆電話の数はだいぶ減りましたが、探せば駅など街中にはまだまだあります。**使ったことのない若者世代や、スマホ世代のお子さんをお持ちの親御さんは、ぜひ一度かける練習の機会を持ってみてください。**

たったそれだけのことで、いざというときの連絡手段を一つ確保できるのですから。

○ 緊急時に生き残れる人と困る人の差

ネットやスマホに依存しないで何かをしてみる、ということは直観力を鍛えるうえ

で最も手軽で有効なトレーニング方法です。

そこで今度、よく講演を依頼される埼玉県の中学や高校で生徒たちにこんな提案をしてみようかと思っています。

「自分の家から東京六本木の檜町（ひのきちょう）公園までスマホを使わずに移動してみましょう」

スマホが使えれば、乗換案内アプリとグーグルマップで簡単に六本木の東京ミッドタウンに隣接する檜町公園まで行けるはずです。

ところがスマホが使えないとなれば、別の方法を考えないといけません。多くの生徒は、時刻表と路線図と地図を頼りに電車で移動することを考えるでしょう。

でも交通手段が指定してあるわけではないですから、中には電車ではなくてバスを利用したり、自転車を使ったり、ひょっとしたらヒッチハイクで移動することを考える生徒も出てくるかもしれません。

高校生であれば、すでにバイクや車の運転免許を取得している生徒もいるかもしれないので、その場合は自分のバイクや家の車を使うという手もあるでしょう。

そうやってデジタルで簡単に解決できる問題を、あえてアナログで解いてみる。目的地の檜町公園までちゃんとたどり着くことができれば、そこで得られた知識と経験は、必ずあなたの直観力をそれまでよりも豊かなものにしてくれるはずです。

また、ここで大事なことは、目的を達成するための手段は一つとは限らないという発想にたどり着けることと、それに気づいたときになるべく多くの手段を見つけられることです。

たとえば、電車で行くもりだったのに事故で動かなくなってしまったとき、代替手段が頭になければ、目的地まで移動できなくなってしまいます。

対して、選択肢を多く持つことができていれば、その分より良い選択が可能になり、窮地を脱する可能性も高くなるわけです。

こうした力は、地震などの災害時にあっては特に重要になります。

スマホに代表されるネットの環境や鉄道などの交通インフラが利用できなくなる可能性がありますから、家族や友人、恋人などへの連絡や避難の方法は、なるべく複数確保しておく必要があるのです。

災害時の緊急事態をサバイブするための重要なポイントです。

そして、そうした意味では、災害でスマホが使えなくなったという前提に立って、スマホを使わずに職場や学校から家まで歩いて帰る、ということを一度やってみたほうがいいかもしれません。

スマホが使えないと、そもそも方角からしてわからない。そんなとき頼りになるのは、自宅の方角に伸びている幹線道路です。でも、昨今の都市生活では車を持たない家庭が増えていますから、道の名前になじみのない人も多い。

だからこそ、最低限自分の家の近くの幹線道路の名前を記憶しておくこと。その道に出ることができれば、方角的に間違うことなく自宅の方向をめざすことができます。

デジタルが当たり前の日常は、前提となっているネット環境がダメージを受けてしまえば、あっけなく破綻してしまうでしょう。**そのときサバイブできるかどうかは、まさにスマホだけに依存しないアナログの力をどれだけ持っているかにかかっています。**

デジタルは便利です。とても役に立つ。でもそれはある日突然使えなくなるかもしれない、実に危うい存在でもあります。

だから暮らしの中に少しでいいから意識的にアナログを組み込んでみる。

デジタルとアナログの融合――。それこそが、猛烈な勢いで進み続けるデジタル社会を生き抜くための知恵ではないかと思います。

○ 人にたずねることができますか？

かつて子どもは、わからないことがあると、お父さんやお母さんにたずねて教えてもらいました。**それが親子の大事なコミュニケーションの場であり、また子どもが両親を尊敬するきっかけともなりました。**

ところがスマホが普及したことで、子どもはわからないことがあると「グーグル先生」に聞くようになりました。**ネットで調べて答えを見つける、自己完結型の問題解決をするようになったわけです。**

他者に依存せず、自分で問題の解決を図るのは素晴らしいことではありますが、ネットはすべての問題に答えをくれるわけではないし、何より誤った情報も多い。

その点をよく理解したうえで利用しないと、「ネットで調べれば何でもわかる」といった間違った認識を持ってしまう恐れがあります。

そして何より心配なのは、自己完結型の問題解決に慣れてしまうと、わからないことを人に聞けなくなってしまう恐れがある、という点です。

答えはネットにあるはずと思うので、なかなか人に聞けなくなるのです。

それで正しい答えが見つかればいいのですが、**万が一誤った答えを引っ張ってきたりすれば、その先のプロセスで大きなトラブルが生じる可能性が高くなります。**

あるとき、友人がこんなことを言っていました。

「道に迷ったときお前ならどうする？　オレはすぐにそこら辺のそば屋にでも入って教えてもらうね。自分で調べるよりそのほうが早いから。

でも、それが許せないって後輩女子に言われて参ったよ。スマホで調べればすぐにわかることをなんでわざわざ人に聞くのかって。聞かれれば仕事の手を止めなければいけないから相手も迷惑だと。言われてみれば確かにそうなんだけどさ。

ところがその後輩女子があるとき、とんでもない失敗をやらかしたんだよ。わからないことがあれば隣に大ベテランの先輩がいるんだから聞けばいいのに、勝手に自分で調べて仕事を進めちゃった。

そうしたらプログラムに入れ込むべき要素を間違えてたもんだから、全部やり直しになって大騒ぎだよ。一言聞いて確認すれば済んだことなのに」

それは調べれば自分で答えは出せる、という自己完結型問題解決の落とし穴でした。

「世の中、スマホで調べられるようなことばかりじゃないからね。人に教えを請わないといけないこともあるわけで。質問力なんて言葉もあるほどだから、人に聞くとい

うのも大事なスキルだと思うけどな」

スマホで調べるのが当たり前の時代だからこそ、質問力を大事にしたいと、友人の話を聞いて改めて思いました。

○ 空腹を満たす方法は万引きだけ!?

中学や高校で講演をするとき必ず行なう質問があります。

「近くにコンビニがあります。あなたはとてもお腹(なか)が空(す)きました。でも、お金がない。何をやってもかまいません。どうやって空腹を満たしますか?」

この質問に対して、いつも3~4割の生徒が「万引き」と回答します。

「店長に頼み込む」とか「ツケにしてもらう」とか「親を呼ぶ」とか「1時間だけその店でバイトして代金に充てる」とか、いくらでもほかに方法はあるはずなのですが、「そういうのは恥ずかしい」と言うのです。

だから思わず聞き返してしまいます。

「えっ、恥ずかしいの？　だからって、万引きを選んじゃうわけ？」と。

若者の半分が相手の目を見て話せないという話を前に記しましたが、**「恥ずかしい」という心情の背景には、やはりネットやスマホに過度に依存した結果の、直観力やコミュニケーション能力の不足があるのではないかと感じます。**

そうでなければ、万引きという判断が出てくるはずがないからです。

この質問に対する私の回答の一つは、「食べない」です。

すると子どもたちは、「どうやって空腹を満たしますか？」と聞かれているのに、「食べないはずるい」と一斉に反発します。

「いや、でもね、万引きするくらいなら、食べないほうがいいんだよ。だって、万引きは犯罪なんだから。食べないのは別に犯罪じゃないでしょ」

驚くのは、空腹を満たす手段として万引きという法律違反の答えをした生徒たちが、質問のルールに違反していると私を責めることです。

ほかに思いつかないなら、白紙回答にすればいいのに、何か書かなければいけないと思い、軽い気持ちで万引きと書いてしまう。

ノリで不適切動画を投稿し、それに「いいね！」を押す若者たちにも通じるモラルの崩壊を感じます。

先ほどサバイバル能力の項でも述べたことですが、問題解決のためには選択肢を可能な限りたくさん持つことです。

何か問題に直面したとき、解決のための選択肢が3個しかない人と10個ある人とでは、当然10個ある人のほうがより良い解決策を選択できます。

それには直面した状況を論理的に読み解き、なすべきことを適切に判断する、知識と経験に裏打ちされた直観力が不可欠です。

逆に言えば、これが欠けていると、適切な判断ができないばかりか、ときには最悪の事態を招いてしまう場合もあります。

2014年に埼玉県川口市で起きた17歳の少年による祖父母殺害事件は、まさにそうでした。

ひどい環境で育てられた少年が、「殺してでも借りてこい」という母親の命令で祖父母の家に金の無心に行き、断られたために殺害してしまった事件です。

母親は「実際に殺せとまでは言ってない」という旨の主張をして殺人の教唆を否定。検察も殺人教唆では立件できず、強盗罪で懲役4年6カ月が確定しています。少年には強盗殺人などで懲役15年の判決が1、2審で下されました。

生育環境があまりにも劣悪で、少年には直観力やコミュニケーション能力を鍛える術がありませんでした。だから「殺してでも借りてこい」という母親の言葉に準じて、本当に祖父母を殺してしまった。

昔のいかつい非行少年でも、殺すという発想よりも前に、祖父母の不在を狙って財布からお札を1枚抜きとるぐらいの考えが出てくると思いますが、少年にはそのような引き出しさえありませんでした。0か1か、殺すか殺さないかの選択しか持っていなかったのです。

実際に罪を犯したのは彼ですが、そういう教育をして（まっとうな教育をせずに）育てた母親には、重大な責任があります。少年の生育環境を知ると誰もが同情を禁じ得ないほどに、その生い立ちは悲惨の極みにありました。生きるために必要な直観力とコミュニケーション能力の獲得など思いも及ばなかったであろう少年の、あまりにも痛ましい悲劇でした。

○被害も犯罪も生む「同調圧力」に負けないために

自分は本心ではそう思っていないのだけれど、周りがみんなそうだと言うので、合わせるようにしている――。よくある話です。

しかし、この同調圧力に負けてしまう人も、スマホやSNSで被害に遭いやすい人の特徴です。断れずに友達と撮った写真がSNSにアップされ、あなたの身元がバレるといったことはよくあることだからです。

私は、中学や高校で講演をする際、よく同調圧力の実験をします。

たとえば、ピンク色の絵を1枚用意します。その絵の色を私は学生たちに「すみれ色」と言わせるように仕向けます。

そのための実験として5人の学生に登場してもらい、

- 1番目の人には「すみれ色と答えてください」と書かれた手紙
- 2番目の人には「1番目の人の答えを真似してください」と書かれた手紙
- 3番目の人には「2番目の人の言っている答えが正解です」と書かれた手紙
- 4番目の人には「空気を読んでください」と書かれた手紙
- 5番目の人には「間違えたら罰ゲームです」と書かれた手紙

をそれぞれに渡します。

そして1番目の人から順に「この絵の色は何色ですか」と聞いて答えさせます。

それはどう見てもピンク色なのですが、1番目の人は手紙の指示通りにすみれ色と答えます。以下、手紙に従い、2番目の人も3番目の人もすみれ色と答えます。

4番、5番の人には思考力が問われます。4番目の人は「空気を読んでください」とあるので、どう見てもピンク色ですが、前の3人に合わせてすみれ色と答えます。最後の5番目の人は「間違えたら罰ゲームです」と書いてあるので、どう見てもピンク色ですが、前の4人が全員すみれ色と答えているのを無視できず、やはりすみれ色と言ってしまいます。

まさにこれが同調圧力です。実験後、学生たちに言います。


「実は4番目の人に書いた手紙の『空気を読んでください』というのは、『いや、みんな、これはどう見てもピンク色でしょ。すみれ色ってなんだよ、おかしいだろ～!』そう言ってくれるのを期待して書いたんですよ」

「空気を読む＝みんなに合わせること――この国の社会ではみんながそう思っているから同調圧力が横行するんだよ。でも、もし4番目の人が、『みんな間違ってる。あれはピンク色で、すみれ色じゃない』と声をあげれば、5番目の人も『そうだ、あれはピンク色だ！』と答えられて、救われたはずだよ」と。

大人でも難しいことですが同調圧力の強い時代だからこそ、直観力を麻痺させないために、「周りのみんなが揃って同じことを言っていたとしても、それが正しいとは限らない」「周囲と違う意見であっても、自分がそうだと思うなら、本心を伝える努力をしよう」ということを、大人は子どもたちに伝えていっていただきたいと思います。

どんな状況でも自分の頭を働かせ、思考力ゼロにならないことが重要です。

○コナン君に学ぶ直観力の鍛え方

直観力を鍛えるには知識や経験の蓄積が必要です。その格好のモデルは名探偵のコナン君です（青山剛昌原作の推理漫画『名探偵コナン』）。

コナン君の直観力は、

①毎週、殺人事件現場に立ち会う

②毎日、命を狙われている
③発明家、警察、探偵、怪盗とコミュニケーションをとっている
④捜査の過程で、疑問点を見つけたら、わからないままにしない

などによって鍛えられています。順を追って見ていくと、

①――コナン君は毎週殺人事件に遭遇します。1人で現場を検証し、些細な不審点を見つけます。多くの現場を見ることで、さまざまな人間模様を知り、不審な点に気づく直観力が養われていくのです。

②――コナン君は毎日サバイバルな生活をしています。命を狙われているので、リスクマネジメントも毎日考えています。

③――コナン君はいろいろな知識を持った人とたくさんコミュニケーションをとって、さまざまな価値観と触れ合うようにしています。自分の考えだけでは事件は解決できないことを知っているからです。だから、いろいろな質問をして足りない情報を集めるのです。

④――捜査の過程で疑問を見つけたときは、放っておかずに必ず質問をして解明し、その答えを頭の中にインプットしていきます。

コナン君の卓越（たくえつ）した直観力はこうして日々鍛えられ、研ぎ澄まされていくわけです。ただしそんなコナン君であっても、少し油断をすれば、直観力が鈍ってしまうかもしれません。「バイアス」という罠に陥る恐れがあるからです。

バイアスとは偏見、先入観などのことを言います。バイアスの罠にはまると、人は間違った情報を正しいと判断してしまいます。

たとえば、

- 私の考えはすべて正しい
- ここは大丈夫だろう
- 青信号で渡っているから車はこない
- この人だったら大丈夫

● あの人は怪しい

などがバイアスです。

こうした偏見や先入観は、人の心を曇らせ、誤った判断を導くことが多くあります。

加えて言えば、バイアスの罠に気づかないでいると、偏見や先入観をさらに補強するため、自分に都合のいい情報だけを集めるようになり、ますます判断を誤るようになってしまうのです。

バイアスの罠に落ちないようにするには、常に自分とは違う価値観の人にたくさん触れるようにして直観力が鈍らないようにすることです。

また、自分の直観力が現実とズレていないかを常に意識し、ズレを確認した場合は、ただちに修正することです。

これを何度も繰り返し経験することで直観力は磨かれ、ついには揺らぐことのない確かなものだと信じられるようになっていくのです。

エピローグ――しかしながら、スマホから逃げてもいけない

ここまで読んでいただき、ありがとうございます。

この本では、スマホの使い方、スマホとの向き合い方について主に触れてきました。

普段スマホに慣れている方であっても、指摘されているような怖い使い方を無意識のうちにしていたり、知らなかったサービスや設定などがあったり、といった発見があったのではないでしょうか？

こうした話を聞くと、「スマホと距離を置こう」「子どもにはずっとスマホは持たせない！」といった考えを持たれた方も多かったかもしれません。

しかし、私のスマホに対する考えは実は違います。

大切なのは、正しく怖がり、正しく向き合い、正しく活用することだと思うのです。

みなさんも体感されている通り、スマホの普及ぶりはすごいものがあります。特にこれからを生きる若い世代にとっては、スマホやデジタルデバイス、プログラミングの知識などがないことが、就職や実際の仕事をするうえでの大きなマイナスになります。

だからこそ、子ども世代であっても持つこと自体はＯＫ。

ただし、そのためにしっかりとしたリテラシーも一緒に持たせましょう、ということなのです。

親世代のみなさんも、若い頃には悪さをしたこともあれば、こっぴどく怒られる失敗もあったでしょう。そうした中で、自分なりのセーフラインの線引きをしてきたはずです。

ただ、現代はＳＮＳの登場によって、ちょっとしたいたずら心もアウトの時代になりました。自分で学習する前の最初のミスが命取りになるケースが増えたのです。

そうなれば、やはり人生経験のある人が、若い世代に最低限のリテラシーを伝える必要があります。また、年配世代がスマホに慣れるまで若い世代がサポートしてあげる必要もあります。

本編でも述べた通り、子どもの安全確認から老いた親の安否確認まで、スマホは活用方法次第では、大変な味方になってくれます。

一面的に怖がって避けるのではなく、積極的に分析してメリットを享受(きょうじゅ)していただきたい。そして、最初に最低限のやってはいけないことを子どもに教えたうえで、がんじがらめの縛りつけではなく、相互理解のある親子関係、その先には子ども自身が自分の頭で考える自立を促(うなが)していただきたい。

この本がそんなきっかけになることができれば、著者として望外の喜びです。

2020年1月　佐々木成三

あなたのスマホがとにかく危ない
―元捜査一課が教えるSNS、デジタル犯罪から身を守る方法

令和２年２月10日　初版第１刷発行
令和２年６月30日　　　第４刷発行

著　者　佐々木成三
発行者　辻　浩明
発行所　祥伝社
〒101-8701
東京都千代田区神田神保町3-3
☎03(3265)2081(販売部)
☎03(3265)1084(編集部)
☎03(3265)3622(業務部)

印　刷　萩原印刷
製　本　積信堂

ISBN978-4-396-61719-6 C0030
Printed in Japan
祥伝社のホームページ・www.shodensha.co.jp